Contre-feux

Propos pour servir
à la résistance
contre l'invasion
néo-libérale

PIERRE BOURDIEU

Contre-feux

Propos pour servir
à la résistance
contre l'invasion
néo-libérale

LIBER-RAISONS D'AGIR

Éditions LIBER-RAISONS D'AGIR
52, rue du Cardinal Lemoine, 75005 Paris
© *LIBER-RAISONS D'AGIR,* avril 1998

AU LECTEUR

Si j'ai pu me résoudre à rassembler pour
la publication ces textes en grande partie inédits, c'est que
j'ai le sentiment que les dangers contre lesquels ont été
allumés les contre-feux dont ils voudraient perpétuer les
effets ne sont ni ponctuels, ni occasionnels et que ces propos, s'ils sont plus exposés que les écrits méthodiquement
contrôlés aux discordances liées à la diversité des circonstances, pourront encore fournir des armes utiles à tous
ceux qui s'efforcent de résister au fléau néo-libéral.*

Je n'ai pas beaucoup d'inclination pour les interventions
prophétiques et je me suis toujours défié des occasions où
je pouvais être entraîné par la situation ou les solidarités à
aller au-delà des limites de ma compétence. Je ne me serais
donc pas engagé dans des prises de position publiques si je
n'avais pas eu, chaque fois, le sentiment, peut-être illusoire,
d'y être contraint par une sorte de fureur légitime, proche
parfois de quelque chose comme un sentiment du devoir.

L'idéal de l'intellectuel collectif, auquel j'ai essayé de me
conformer toutes les fois que je pouvais me rencontrer

---

* Au risque de multiplier les ruptures de ton et de style liées à la
diversité des situations, j'ai présenté les interventions retenues
dans l'ordre chronologique pour rendre plus sensible le contexte
historique de propos qui, sans se réduire à un contexte, ne
sacrifient jamais aux généralités bavardes et vagues de ce que l'on
appelle parfois la «philosophie politique». J'ai ajouté ici et là
quelques indications bibliographiques minimales pour permettre
au lecteur de prolonger l'argumentation proposée.

avec d'autres sur tel ou tel point particulier, n'est pas toujours facile à réaliser[1]. Et si j'ai dû, pour être efficace, m'engager parfois en personne et en nom propres, je l'ai toujours fait avec l'espoir, sinon de déclencher une mobilisation, ou même un de ces débats sans objet ni sujet qui surgissent périodiquement dans l'univers médiatique, du moins de rompre l'apparence d'unanimité qui fait l'essentiel de la force symbolique du discours dominant.

---

1 - Entre toutes mes interventions collectives, notamment celles de l'Association de réflexion sur les enseignements supérieurs et la recherche (ARESER), du Comité international de soutien aux intellectuels algériens (CISIA) et du Parlement international des écrivains (dans lequel j'ai cessé de me reconnaître), j'ai retenu seulement l'article paru dans *Libération* sous le titre « Le sort des étrangers comme schibboleth », avec l'accord de mes coauteurs visibles (Jean-Pierre Alaux) et invisibles (Christophe Daadouch, Marc-Antoine Lévy et Danièle Lochak), victimes de la censure très spontanément et très banalement exercée par les journalistes responsables de tribunes dites libres dans les journaux: toujours à la recherche du capital symbolique associé à certains noms propres, ceux-ci n'aiment guère les papiers signés d'un sigle ou de plusieurs noms -c'est là un des obstacles, et non des moindres, à la constitution d'un intellectuel collectif- et ils sont portés à faire disparaître, soit après négociation, soit, comme ici, sans consultation, les noms peu connus d'eux.

La main gauche
et la main droite de l'État*

Q. - *Un récent numéro de la revue que vous dirigez a pris pour thème la souffrance*[1]. *On y trouve plusieurs entretiens avec des gens auxquels les médias ne donnent pas la parole : jeunes de banlieues déshéritées, petits agriculteurs, travailleurs sociaux. Le principal d'un collège en difficulté exprime, par exemple, son amertume personnelle : au lieu de veiller à la transmission des connaissances, il est devenu, contre son gré, le policier d'une sorte de commissariat. Pensez-vous que de tels témoignages individuels et anecdotiques peuvent permettre de comprendre un malaise collectif?*

P.B. - Dans l'enquête que nous menons sur la souffrance sociale, nous rencontrons beaucoup de gens qui, comme ce principal de collège, sont traversés par les contradictions du monde social, vécues sous la forme de drames personnels. Je pourrais citer aussi ce chef de projet, chargé de coordonner toutes les actions dans une « banlieue difficile » d'une petite ville du Nord de la France. Il est confronté à des contradictions qui sont la limite extrême de celles qu'éprouvent actuellement tous ceux qu'on appelle les « travailleurs sociaux » : assistantes sociales, éducateurs, magistrats de base et aussi, de plus en plus, professeurs et instituteurs. Ils constituent ce que j'appelle la main gauche de l'État, l'ensemble des agents des ministères dits dépensiers qui sont la trace, au sein de l'État, des luttes sociales du passé. Ils s'opposent à l'État de la main droite, aux énarques du ministère des Finances, des

---

* Entretien avec R.P. Droit et T. Ferenczi, publié dans *Le Monde*, le 14 janvier 1992.

banques publiques ou privées et des cabinets ministériels. Nombre de mouvements sociaux auxquels nous assistons (et assisterons) expriment la révolte de la petite noblesse d'État contre la grande noblesse d'État.

Q. - Comment expliquez-vous cette exaspération, ces formes de désespoir et ces révoltes?

P.B. - Je pense que la main gauche de l'État a le sentiment que la main droite ne sait plus ou, pire, ne veut plus vraiment savoir ce que fait la main gauche. En tout cas, elle ne veut pas en payer le prix. Une des raisons majeures du désespoir de tous ces gens tient au fait que l'État s'est retiré, ou est en train de se retirer, d'un certain nombre de secteurs de la vie sociale qui lui incombaient et dont il avait la charge : le logement public, la télévision et la radio publiques, l'école publique, les hôpitaux publics, etc., conduite d'autant plus stupéfiante ou scandaleuse, au moins pour certains d'entre eux, qu'il s'agit d'un État socialiste dont on pourrait attendre au moins qu'il se fasse le garant du service public comme service ouvert et offert à tous, sans distinction...Ce que l'on décrit comme une crise du politique, un antiparlementarisme, est en réalité un désespoir à propos de l'État comme responsable de l'intérêt public.

Que les socialistes n'aient pas été aussi socialistes qu'ils le prétendaient, cela n'offusquerait personne : les temps sont durs et la marge de manœuvre n'est pas grande. Mais ce qui peut surprendre, c'est qu'ils aient pu contribuer à ce point à l'abaissement de la chose publique : d'abord dans les faits, par toutes sortes de mesures ou de politiques (je ne nommerai que les médias) visant à la liquidation des acquis du *welfare state* et surtout, peut-être, dans le discours public avec l'éloge de l'entreprise privée (comme si l'esprit d'entreprise n'avait d'autre terrain que l'entreprise), l'encouragement à l'intérêt privé. Tout cela a quelque chose de surprenant, surtout pour ceux que l'on envoie en première ligne remplir les fonctions dites «sociales» et suppléer les insuffisances les plus intolérables de la logique du marché sans leur donner les moyens d'accomplir vraiment leur mission. Comment n'auraient-ils pas le sentiment d'être constamment floués ou désavoués?

On aurait dû comprendre depuis longtemps que leur révolte s'étend bien au-delà des questions de salaire, même si le salaire octroyé est un indice sans équivoque de la valeur accordée au travail et aux travailleurs correspondants. Le mépris pour une fonction se marque d'abord par la rémunération plus ou moins dérisoire qui lui est accordée.

Q. - Croyez-vous que la marge de manœuvre des dirigeants politiques soit si restreinte?

P.B. - Elle est sans doute beaucoup moins réduite qu'on ne veut le faire croire. Et il reste en tout cas un domaine où les gouvernants ont toute latitude : celui du symbolique. L'exemplarité de la conduite devrait s'imposer à tout le personnel d'État, surtout lorsqu'il se réclame d'une tradition de dévouement aux intérêts des plus démunis. Or comment ne pas douter quand on voit non seulement les exemples de corruption (parfois quasi officiels, avec les primes de certains hauts fonctionnaires) ou de trahison du service public (le mot est sans doute trop fort : je pense au pantouflage) et toutes les formes de détournement, à des fins privées, de biens, de bénéfices et de services publics : népotisme, favoritisme (nos dirigeants ont beaucoup d'«amis personnels»...), clientélisme?

Et je ne parle pas des profits symboliques! La télévision a sans doute contribué autant que les pots de vin à la dégradation de la vertu civile. Elle a appelé et poussé sur le devant de la scène politique et intellectuelle des «m'astu-vu?», soucieux avant tout de se faire voir et de se faire valoir, en contradiction totale avec les valeurs de dévouement obscur à l'intérêt collectif qui faisaient le fonctionnaire ou le militant. C'est le même souci égoïste de se faire valoir (souvent aux dépens de rivaux) qui explique que les «effets d'annonce» soient devenus une pratique si commune. Pour beaucoup de ministres une mesure ne vaut, semble-t-il, que si elle peut être annoncée et tenue pour réalisée dès qu'elle a été rendue publique. Bref, la grande corruption dont le dévoilement fait scandale parce qu'il révèle le décalage entre les vertus professées et les pratiques réelles n'est que la limite de toutes les petites «faiblesses» ordinaires, étalage de luxe, acceptation empressée des privilèges matériels ou symboliques.

Q. - Face à la situation que vous découvrez, quelle est, à vos yeux, la réaction des citoyens?
P.B. - Je lisais récemment un article d'un auteur allemand sur l'Égypte ancienne. Il montre comment, dans une époque de crise de la confiance dans l'État et dans le bien public, on voyait fleurir deux choses : chez les dirigeants, la corruption, corrélative du déclin du respect de la chose publique, et, chez les dominés, la religiosité personnelle, associée au désespoir concernant les recours temporels. De même, on a le sentiment, aujourd'hui, que le citoyen, se sentant rejeté à l'extérieur de l'État (qui, au fond, ne lui demande rien en dehors de contributions matérielles obligatoires, et surtout pas du dévouement, de l'enthousiasme), rejette l'État, le traitant comme une puissance étrangère qu'il utilise au mieux de ses intérêts.

Q. - *Vous parliez de la grande latitude des gouvernants dans le domaine symbolique. Il ne concerne pas seulement les conduites données en exemple. Il s'agit aussi des paroles,* *des idéaux mobilisateurs. D'où vient, sur ce point, la défi-cience actuelle ?*

P.B. - On a beaucoup parlé du silence des intellectuels. Ce qui me frappe, c'est le silence des politiques. Ils sont for-midablement à court d'idéaux mobilisateurs. Sans doute parce que la professionnalisation de la politique et les conditions exigées de ceux qui veulent faire carrière dans les partis excluent de plus en plus les personnalités inspi-rées. Sans doute aussi parce que la définition de l'activité politique a changé avec l'arrivée d'un personnel qui a appris dans les écoles (de sciences politiques) que, pour faire sérieux ou tout simplement pour éviter de paraître ringard ou paléo, il vaut mieux parler de gestion que d'au-togestion et qu'il faut, en tout cas, se donner les apparences (c'est-à-dire le langage) de la rationalité économique.

Enfermés dans l'économisme étroit et à courte vue de la vision-du-monde-FMI qui fait (et fera) aussi des ravages dans les rapports Nord-Sud, tous ces demi habiles en matière d'économie omettent, évidemment, de prendre en compte les coûts réels, à court et surtout à long terme, de la misère matérielle et morale qui est la seule consé-quence certaine de la *Realpolitik* économiquement légiti-mée : délinquance, criminalité, alcoolisme, accidents de la route, etc. Ici encore, la main droite, obsédée par la ques-tion des équilibres financiers, ignore ce que fait la main gauche, affrontée aux conséquences sociales souvent très coûteuses des «économies budgétaires».

Q. - Les valeurs sur lesquels les actes et les contributions de l'État étaient fondés ne sont-elles plus crédibles ?

P.B. - Les premiers à les bafouer sont souvent ceux-là mêmes qui en sont les gardiens. Le congrès de Rennes et la loi d'amnistie ont fait plus pour le discrédit des socia-listes que dix ans de campagne anti-socialiste. Et un militant «retourné» (dans tous les sens du terme) fait plus de dégâts que dix adversaires. Mais dix ans de pouvoir socialiste ont porté à leur terme la démolition de la croyance en l'État et la destruction de l'État-providence entreprise dans les années 70 au nom du libéralisme. Je pense en particulier à la politique du logement. Elle avait pour but déclaré d'arracher la petite bourgeoisie à l'habitat collectif (et, par là, au «collectivisme») et de l'attacher à la propriété privée de son pavillon individuel ou de son appartement en copropriété. Cette politique n'a en un sens que trop bien réussi. Son aboutissement illustre ce que je disais à l'instant sur les coûts sociaux de certaines économies. Car elle est sans doute la cause majeure de la ségrégation spatiale et, par là, des problèmes dits des «banlieues».

Q. - Si l'on veut définir un idéal, ce serait donc le retour au sens de l'État, de la chose publique. Vous ne partagez pas l'avis de tout le monde.

P.B. - L'avis de tout le monde, c'est l'avis de qui? Des gens qui écrivent dans les journaux, des intellectuels qui prônent le «moins d'État» et qui enterrent un peu vite le public et l'intérêt du public pour le public... On a là un exemple typique de cet effet de croyance partagée qui met d'emblée hors discussion des thèses tout à fait discutables. Il faudrait analyser le travail collectif des «nouveaux intellectuels» qui a créé un climat favorable au retrait de l'État et, plus largement, à la soumission aux valeurs de l'économie. Je pense à ce que l'on a appelé «le retour de l'individualisme», sorte de prophétie auto-réalisante qui tend à détruire les fondements philosophiques du *welfare state* et en particulier la notion de responsabilité collective (dans l'accident de travail, la maladie ou la misère), cette conquête fondamentale de la pensée sociale (et sociologique). Le retour à l'individu, c'est aussi ce qui permet de

« blâmer la victime », seule responsable de son malheur, et de lui prêcher la *self help*, tout cela sous couvert de la nécessité inlassablement répétée de diminuer les charges de l'entreprise.

La réaction de panique rétrospective qu'a déterminée la crise de 68, révolution symbolique qui a secoué tous les petits porteurs de capital culturel, a créé (avec, en renfort, l'effondrement – inespéré! – des régimes de type soviétique) les conditions favorables à la restauration culturelle aux termes de laquelle « la pensée Sciences-Po » a remplacé la « pensée Mao ». Le monde intellectuel est aujourd'hui le lieu d'une lutte visant à produire et à imposer de « nouveaux intellectuels », donc une nouvelle définition de l'intellectuel et de son rôle politique, une nouvelle définition de la philosophie et du philosophe, désormais engagé dans les vagues débats d'une philosophie politique sans technicité, d'une science sociale réduite à une politologie de soirée électorale et à un commentaire sans vigilance de sondages commerciaux sans méthode. Platon avait un mot magnifique pour tous ces gens, celui de *doxosophe* : ce « technicien-de-l'opinion-qui-se-croit-savant » (je traduis le triple sens du mot) pose les problèmes de la politique dans les termes mêmes où se les posent les hommes d'affaires, les hommes politiques et les journalistes politiques (c'est-à-dire très exactement ceux qui peuvent se payer des sondages...).

Q. - Vous venez de mentionner Platon. L'attitude du sociologue se rapproche-t-elle de celle du philosophe?

P.B. - Le sociologue s'oppose au doxosophe, comme le philosophe, en ce qu'il met en question les évidences et surtout celles qui se présentent sous la forme de questions, les siennes autant que celles des autres. C'est ce qui choque profondément le doxosophe, qui voit un préjugé politique dans le fait de refuser la soumission profondément politique qu'implique l'acceptation inconsciente des *lieux communs*, au sens d'Aristote : des notions ou des thèses *avec* lesquelles on argumente, mais *sur* lesquelles on n'argumente pas.

Q. - Ne tendez-vous pas à mettre, en un sens, le sociologue à une place de philosophe-roi, seul à savoir où sont les vrais problèmes ?

P.B. - Ce que je défends avant tout, c'est la possibilité et la nécessité de l'intellectuel critique, et critique d'abord, de la *doxa* intellectuelle que sécrètent les doxosophes. Il n'y a pas de véritable démocratie sans véritable contre-pouvoir critique. L'intellectuel en est un, et de première grandeur. C'est pourquoi je considère que le travail de démolition de l'intellectuel critique, mort ou vivant – Marx, Nietzsche, Sartre, Foucault, et quelques autres que l'on classe en bloc sous l'étiquette de «pensée 68 » –, est aussi dangereux que la démolition de la chose publique et qu'il s'inscrit dans la même entreprise globale de restauration.

J'aimerais mieux, évidemment, que les intellectuels aient tous, et toujours, été à la hauteur de l'immense responsabilité historique qui leur incombe et qu'ils aient toujours engagé dans leurs actions non seulement leur autorité morale mais aussi leur compétence intellectuelle – à la façon, pour ne donner qu'un exemple, d'un Pierre Vidal-Naquet investissant toute sa maîtrise de la méthode historique dans une critique des usages abusifs de l'histoire[2]. Cela dit, pour citer Karl Kraus, « entre deux maux, je refuse de choisir le moindre ». Si je n'ai guère d'indulgence pour les intellectuels «irresponsables », j'aime encore moins ces responsables «intellectuels », polygraphes polymorphes, qui pondent leur livraison annuelle entre deux conseils d'administration, trois cocktails de presse et quelques apparitions à la télévision.

Q. - Alors quel rôle souhaitez-vous pour les intellectuels, notamment dans la construction de l'Europe?

P.B. - Je souhaite que les écrivains, les artistes, les philosophes et les savants puissent se faire entendre directement dans tous les domaines de la vie publique où ils sont compétents. Je crois que tout le monde aurait beaucoup à gagner à ce que la logique de la vie intellectuelle, celle de l'argumentation et de la réfutation, s'étende à la vie publique. Aujourd'hui, c'est la logique de la politique, celle de la dénonciation et de la diffamation, de la «sloganisation» et de la falsification de la pensée de l'adversaire, qui s'étend bien souvent à la vie intellectuelle. Il serait bon que les «créateurs» puissent remplir leur fonction de service public et parfois de salut public.

Passer à l'échelle de l'Europe, c'est seulement s'élever à un degré d'universalisation supérieur, marquer une étape sur le chemin de l'État universel qui, même dans les choses intellectuelles, est loin d'être réalisé. On n'aurait pas gagné grand-chose, en effet, si l'européocentrisme venait se substituer aux nationalismes blessés des vieilles nations impériales. Au moment où les grandes utopies du XIXe siècle ont livré toute leur perversion, il est urgent de créer les conditions d'un travail collectif de reconstruction d'un univers d'idéaux réalistes, capables de mobiliser les volontés sans mystifier les consciences.

Paris, décembre 1991

---

1 - " La souffrance ", *Actes de la recherche en sciences sociales*, 90, décembre 1991, 104 p. et P. Bourdieu et al., *La misère du monde*, Paris, Éd. du Seuil, 1993.

2 - P. Vidal-Naquet, *Les Juifs, la mémoire et le présent*, Paris, La Découverte, tome I, 1981, tome II, 1991.

Sollers tel quel*

Sollers tel quel, tel qu'en lui-même, enfin. Étrange plaisir spinoziste de la vérité qui se révèle, de la nécessité qui s'accomplit, dans l'aveu d'un titre, «Balladur tel quel», condensé à haute densité symbolique, presque trop beau pour être vrai, de toute une trajectoire : de *Tel Quel* à Balladur, de l'avant-garde littéraire (et politique) en simili à l'arrière-garde politique authentique.

Rien de si grave diront les plus avertis ; ceux qui savent, et depuis longtemps, que ce que Sollers a jeté aux pieds du candidat-président dans un geste sans précédent depuis le temps de Napoléon III, ce n'est pas la littérature, moins encore l'avant-garde, mais le simulacre de la littérature, et de l'avant-garde. Mais ce faux-semblant est bien fait pour tromper les vrais destinataires de son discours, tous ceux qu'il entend flatter, en courtisan cynique, Balladuriens et Enarques balladurophiles, frottés de culture Sciences-Po pour dissertation en deux points et dîners d'ambassade ; et aussi tous les maîtres du faire semblant, qui furent regroupés à un moment ou à un autre autour de *Tel Quel* : faire semblant d'être écrivain, ou philosophe, ou linguiste, ou tout cela à la fois, quand on n'est rien et qu'on ne sait rien de tout cela ; quand, comme dans l'histoire drôle, on connaît l'air de la culture, mais pas les paroles, quand on sait seulement *mimer* les gestes du grand écrivain, et même faire régner un moment la terreur dans les lettres. Ainsi, dans la mesure où il parvient à imposer son imposture, le Tartuffe sans scrupules de la

---

* Ce texte a été publié dans *Libération* le 27 janvier 1995 à la suite de la publication d'un article de Philippe Sollers, paru, sous le titre de " Balladur tel quel ", dans *L'Express* du 12 janvier 1995.

religion de l'art bafoue, humilie, piétine, en le jetant aux pieds du pouvoir le plus bas, culturellement et politiquement – je pourrais dire policièrement – tout l'héritage de deux siècles de lutte pour l'autonomie du microcosme littéraire ; et il prostitue avec lui tous les auteurs, souvent héroïques, dont il se réclame dans sa charge de recenseur littéraire pour journaux et revues semi-officiels, Voltaire, Proust ou Joyce.

Le culte des transgressions sans péril qui réduit le libertinage à sa dimension érotique, conduit à faire du cynisme un des Beaux-Arts. Instituer en règle de vie le « *anything goes*» post-moderne, et s'autoriser à jouer simultanément ou successivement sur tous les tableaux, c'est se donner le moyen de «tout avoir et rien payer», la critique de la société du spectacle et le vedettariat médiatique, le culte de Sade et la révérence pour Jean-Paul II, les professions de foi révolutionnaires et la défense de l'orthographe, le sacre de l'écrivain et le massacre de la littérature (je pense à *Femmes*).

Celui qui se présente et se vit comme une incarnation de la liberté a toujours flotté, comme simple limaille, au gré des forces du champ. Précédé, et autorisé par tous les glissements politiques de l'ère Mitterrand, qui pourrait avoir été à la politique, et plus précisément au socialisme, ce que Sollers a été à la littérature, et plus précisément à l'avant-garde, il a été porté par toutes les illusions et toutes les désillusions politiques et littéraires du temps. Et sa trajectoire, qui se pense comme *exception*, est en fait statistiquement modale, c'est-à-dire banale, et à ce titre exemplaire de la carrière de l'écrivain sans qualités d'une époque de *restauration* politique, et littéraire : il est l'incarnation idéaltypique de l'histoire individuelle et collective de toute une génération d'écrivains d'ambition, de tous ceux qui, pour être passés, en moins de trente ans, des terrorismes maoïstes ou trotskistes aux positions de pouvoir dans la banque, les assurances, la politique ou le journalisme, lui accorderont volontiers leur indulgence.

Son originalité, – parce qu'il en a une : il s'est fait le théoricien des vertus du reniement et de la trahison, renvoyant ainsi au dogmatisme, à l'archaïsme, voire au terrorisme, par un prodigieux renversement auto-justificateur, tous ceux qui refusent de se reconnaître dans le nouveau style libéré et revenu de tout. Ses interventions publiques, innombrables, sont autant d'exaltations de l'inconstance ou, plus exactement, de la *double inconstance*, – bien faite pour renforcer la vision bourgeoise des révoltes artistes –, celle qui, par un double demi-tour, une double demie révolution, reconduit au point de départ, aux impatiences empressées du jeune bourgeois provincial, pour qui Mauriac et Aragon écrivaient des préfaces.

Paris, janvier 1995

Le sort des étrangers
comme schibboleth*

La question du statut que la France accorde aux étrangers n'est pas un « *détail*». C'est un faux problème qui, malheureusement, s'est peu à peu imposé comme une question centrale, terriblement mal posée, dans la lutte politique.

Convaincu qu'il était capital de contraindre les différents candidats républicains à s'exprimer clairement sur cette question, le Groupe d'examen des programmes électoraux sur les étrangers en France (GEPEF) a fait une expérience dont les résultats méritent d'être connus. À l'interrogation à laquelle il a tenté de les soumettre, les candidats se sont dérobés – à l'exception de Robert Hue, et de Dominique Voynet qui en avait fait un des thèmes centraux de sa campagne, avec l'abrogation des lois Pasqua, la régularisation du statut des personnes non expulsables, le souci d'assurer le droit des minorités : Edouard Balladur a envoyé une lettre énonçant des généralités sans rapport avec nos vingt-six questions. Jacques Chirac n'a pas répondu à notre demande d'entretien. Lionel Jospin a mandaté Martine Aubry et Jean-Christophe Cambadélis, malheureusement aussi peu éclairés qu'éclairants sur les positions de leur favori.

---

* Ce texte publié dans *Libération* le 3 mai 1995, sous la signature de Jean-Pierre Alaux et la mienne, présente le bilan de l'enquête que le GEPEF (Groupe d'examen des programmes électoraux sur les étrangers en France) avait lancée en mars 1995 auprès de huit candidats à l'élection présidentielle « afin d'examiner avec eux leurs projets relatifs à la situation des étrangers en France », sujet pratiquement exclu de la campagne électorale.

Il n'est pas besoin d'être grand clerc pour découvrir dans leurs silences et dans leur discours qu'ils n'ont pas grand chose à opposer au discours xénophobe qui, depuis des années, travaille à transformer en haine les malheurs de la société, chômage, délinquance, drogue, etc. Peut-être par manque de convictions, peut-être par crainte de perdre des voix en les exprimant, ils en sont venus à ne plus parler sur ce faux problème toujours présent et toujours absent que par stéréotypes convenus et sous-entendus plus ou moins honteux, évoquant par exemple la « *sécurité* », la nécessité de « *réduire au maximum les entrées* » ou de contrôler l'« *immigration clandestine* » (non sans rappeler à l'occasion, pour faire progressiste, « *le rôle des trafiquants et des patrons* » qui l'exploitent).

Or, tous les calculs électoralistes, que la logique d'un univers politico-médiatique fasciné par les sondages ne fait qu'encourager, reposent sur une série de présupposés sans fondement : sans autre fondement en tout cas que la logique la plus primitive de la participation magique, de la contamination par contact et de l'association verbale. Un exemple entre mille : comment peut-on parler d'« *immigrés* » à propos de gens qui n'ont « *émigré* » de nulle part et dont on dit par ailleurs qu'ils sont « *de seconde génération* »? De même, une des fonctions majeures de l'adjectif « *clandestin* », que les belles âmes soucieuses de respectabilité progressiste associent au terme d'« *immigrés* », n'est-elle pas de créer une identification verbale et mentale entre le passage clandestin des frontières par les hommes et le passage nécessairement frauduleux, donc clandestin, d'objets interdits (de part et d'autre de la frontière) comme les drogues ou les armes? Confusion criminelle qui autorise à penser les hommes concernés comme des criminels.

Ces croyances, les hommes politiques finissent par croire qu'elles sont universellement partagées par leurs électeurs. Leur démagogie électoraliste repose, en effet, sur le postulat que l'«*opinion publique*», est hostile à l'«*immigration*», aux étrangers, à toute espèce d'ouverture des frontières. Les verdicts des «sondeurs», ces modernes astrologues, et les injonctions des conseillers qui leur tiennent lieu de compétence et de conviction, les somment de s'employer à «*conquérir les voix de Le Pen*». Or, pour s'en tenir à un seul argument, mais assez robuste, le score même qu'a obtenu Le Pen, après presque deux ans de lois Pasqua, de discours et de pratiques sécuritaires, porte à conclure que plus on réduit les droits des étrangers, plus les bataillons des électeurs du Front national s'accroissent (ce constat est évidemment un peu simplificateur, mais pas plus que la thèse souvent avancée que toute mesure visant à améliorer le statut juridique des étrangers présents sur le territoire français aurait pour effet de faire monter le score de Le Pen). Ce qui est sûr, en tout cas, c'est qu'avant d'imputer à la seule xénophobie le vote en faveur du Front national, il faudrait s'interroger sur quelques autres facteurs, comme par exemple les affaires de corruption qui ont frappé l'univers médiatico-politique.

Tout cela étant dit, reste qu'il faudrait repenser la question du statut de l'étranger dans les démocraties modernes, c'est-à-dire la question des frontières qui peuvent être encore légitimement imposées aux déplacements des personnes dans des univers qui, comme le nôtre, tirent tant de profits de tous ordres de la circulation des personnes et des biens. Il faudrait au moins, à court terme, évaluer, fût-ce dans la logique de l'intérêt bien compris, les coûts pour le pays de la politique sécuritaire associée au nom de M. Pasqua : coûts entraînés par la discrimination dans et par les contrôles policiers, qui est bien faite pour créer ou renforcer la «*fracture sociale*», et par les atteintes, qui se généralisent, aux droits fonda-

mentaux, coûts pour le prestige de la France et sa tradition particulière de défenseur des droits de l'homme, etc.

La question du statut accordé aux étrangers est bien le
critère décisif, le *schibboleth*[1] qui permet de juger de la
capacité des candidats à prendre parti, dans tous leurs
choix, contre la France étriquée, régressive, sécuritaire,
protectionniste, conservatrice, xénophobe, et pour la
France ouverte, progressiste, internationaliste, universaliste. C'est pourquoi le choix des électeurs-citoyens devrait se
porter sur le candidat qui se sera engagé, de la manière la
plus claire, à opérer la rupture la plus radicale et la plus
totale avec la politique actuelle de la France en matière
d'«*accueil*» des étrangers. Ce devrait être Lionel Jospin...
Mais le voudra-t-il?

Paris, mai 1995

---

[1] - Schibboleth, épreuve décisive qui permet de juger
de la capacité d'une personne.

Les abus de pouvoir qui s'arment ou s'autorisent de la raison*

[...] Il vient du fond des pays islamiques une question très profonde à l'égard du faux universalisme occidental, de ce que j'appelle l'impérialisme de l'universel[1]. La France a été l'incarnation par excellence de cet impérialisme, qui a suscité ici, dans ce pays même, un national populisme, associé pour moi au nom de Herder. S'il est vrai que certain universalisme n'est qu'un nationalisme qui invoque l'universel (les droits de l'homme, etc.) pour s'imposer, il devient moins facile de taxer de réactionnaire toute réaction fondamentaliste contre lui. Le rationalisme scientiste, celui des modèles mathématiques qui inspirent la politique du FMI ou de la Banque mondiale, celui des *Law firms*, grandes multinationales juridiques qui imposent les traditions du droit américain à la planète entière, celui des théories de l'action rationnelle, etc., ce rationalisme est à la fois l'expression et la caution d'une arrogance occidentale, qui conduit à agir comme si certains hommes avaient le monopole de la raison, et pouvaient s'instituer, comme on le dit communément, en gendarmes du monde, c'est-à-dire en détenteurs auto-proclamés du monopole de la violence légitime, capables de mettre la force des armes au service de la justice universelle. La violence terroriste, à travers l'irrationalisme du désespoir dans lequel elle s'enracine presque toujours, renvoie à la violence inerte des pouvoirs qui invoquent la raison. La coercition économique s'habille souvent de rai-

---

* Intervention lors de la discussion publique organisée par le Parlement international des écrivains à la Foire du livre de Francfort, le 15 octobre 1995.

sons juridiques. L'impérialisme se couvre de la légitimité
d'instances internationales. Et, par l'hypocrisie même des
rationalisations destinées à masquer ses *double standards*,
il tend à susciter ou à justifier au sein des peuples arabes,
sud-américains, africains, une révolte très profonde
contre la raison qui ne peut pas être séparée des abus de
pouvoir qui s'arment ou s'autorisent de la raison (économique, scientifique ou autre). Ces «irrationalismes» sont
en partie le produit de notre rationalisme, impérialiste,
envahissant, conquérant ou médiocre, étriqué, défensif,
régressif et répressif, selon les lieux et les moments. C'est
encore défendre la raison que de combattre ceux qui mas-
quent sous les dehors de la raison leurs abus de pouvoir
ou qui se servent des armes de la raison pour asseoir ou
justifier un empire arbitraire.

Francfort, octobre 1995

---

1 - P. Bourdieu, «Deux impérialismes de l'universel», in C. Fauré
et T. Bishop (éds), *L'Amérique des Français*, Paris, Éd. François
Bourin, 1992, pp.149-155.

La parole du cheminot*

Interrogé après l'explosion survenue le mardi 17 octobre dans la deuxième voiture de la rame du RER qu'il conduisait, un cheminot qui, selon les témoins, avait mené avec un sang-froid exemplaire l'évacuation des passagers, mettait en garde contre la tentation de s'en prendre à la communauté algérienne : ce sont, disait-il simplement, *« des gens comme nous »*.

Cette parole extra-ordinaire, *« vérité du peuple saine »*, comme disait Pascal, rompait soudain avec les propos de tous les démagogues ordinaires qui, par inconscience ou par calcul, s'ajustent à la xénophobie ou au racisme qu'ils prêtent au peuple, alors qu'ils contribuent à les produire, ou qui s'autorisent des attentes supposées de ceux qu'on appelle parfois les « simples » pour leur offrir, en pensant qu'ils s'en satisferont, les pensées simplistes qu'il leur prêtent ; ou qui s'appuient sur la sanction du marché (et des annonceurs), incarnée par l'audimat ou les sondages, et cyniquement identifiée au verdict démocratique du plus grand nombre, pour imposer à tous leur vulgarité et leur bassesse.

Cette parole singulière faisait la preuve que l'on peut résister à la violence qui s'exerce quotidiennement, en toute bonne conscience, à la télévision, à la radio ou dans les journaux, au travers des automatismes verbaux, des images banalisées et des paroles convenues et à l'effet d'accoutumance qu'elle produit, élevant insensiblement, dans toute une population, le seuil de tolérance à l'insulte et au mépris racistes, abaissant les défenses critiques contre la

---

* Texte publié dans *Alternatives algériennes*, en novembre 1995.

pensée pré-logique et la confusion verbale (entre islam et islamisme, entre musulman et islamiste, ou entre islamiste et terroriste par exemple), renforçant sournoisement toutes les habitudes de pensée et de comportement héritées de plus d'un siècle de colonisation et de luttes coloniales. Il faudrait analyser ici en détail l'enregistrement cinématographique d'un seul des 1 850 000 « contrôles » qui, à la grande satisfaction de notre ministre de l'Intérieur, ont été effectués récemment par la police, pour donner une petite idée de la myriade d'humiliations infimes (tutoiement, fouille en public, etc.) ou d'injustices et de délits flagrants (brutalités, portes enfoncées, intimité violée) qu'a dû subir une fraction importante des citoyens ou des hôtes de ce pays, autrefois réputé pour son ouverture aux étrangers ; et pour donner une idée aussi de l'indignation, de la révolte ou de la fureur que peuvent entraîner ces agissements : les propos ministériels, visiblement destinés à rassurer, ou à donner satisfaction à la vindicte sécuritaire, en deviendraient aussitôt moins rassurants.

Cette parole simple enfermait une exhortation par l'exemple à combattre résolument tous ceux qui, dans leur désir d'aller toujours au plus simple, mutilent une réalité historique ambiguë, pour la réduire aux dichotomies rassurantes de la pensée manichéenne que la télévision, inclinée à confondre un dialogue rationnel avec un match de catch, a instituées en modèle. Il est infiniment plus facile de prendre position pour ou contre une idée, une valeur, une personne, une institution ou une situation, que d'analyser ce qu'elle est en vérité, dans toute sa complexité. On s'empressera d'autant plus de *prendre parti* sur ce que les journalistes appellent un « problème de société » – celui du « voile », par exemple – que l'on est plus incapable d'en analyser et d'en comprendre le sens, souvent totalement contraire à l'intuition ethnocentrique.

Les réalités historiques sont toujours énigmatiques et, sous leur apparente évidence, difficiles à déchiffrer; et il n'en est sans doute aucune qui présente ces caractéristiques à un plus haut degré que la réalité algérienne. C'est pourquoi elle représente, tant pour la connaissance que pour l'action, un extraordinaire défi : épreuve de vérité pour toutes les analyses, elle est aussi et surtout une pierre de touche de tous les engagements.

En ce cas plus que jamais, l'analyse rigoureuse des situations et des institutions est sans doute le meilleur antidote contre les visions partielles et contre tous les manichéismes, – souvent associés aux complaisances pharisiennes de la pensée «communautariste» –, qui, à travers les représentations qu'ils engendrent et les mots dans lesquels ils s'expriment, sont souvent lourds de conséquences meurtrières.

Paris, novembre 1995

Contre la destruction
d'une civilisation*

Je suis ici pour dire notre soutien à tous ceux qui luttent, depuis trois semaines, contre la destruction d'une *civilisation*, associée à l'existence du service public, celle de l'égalité républicaine des droits, droits à l'éducation, à la santé, à la culture, à la recherche, à l'art, et, par dessus tout, au travail.

Je suis ici pour dire que nous comprenons ce mouvement profond, c'est-à-dire à la fois le désespoir et les espoirs qui s'y expriment, et que nous ressentons aussi; pour dire que nous ne comprenons pas (ou que nous ne comprenons que trop) ceux qui ne le comprennent pas, tel ce philosophe qui, dans le *Journal du dimanche* du 10 décembre, découvre avec stupéfaction «le gouffre entre la compréhension rationnelle du monde», incarnée, selon lui, par Juppé, – il le dit en toutes lettres –, «et le désir profond des gens».

Cette opposition entre la vision à long terme de l'«élite» éclairée et les pulsions à courte vue du peuple ou de ses représentants, est typique de la pensée réactionnaire de tous les temps et de tous les pays; mais elle prend aujourd'hui une forme nouvelle, avec la noblesse d'État, qui puise la conviction de sa légitimité dans le titre scolaire et dans l'autorité de la science, économique notamment : pour ces nouveaux gouvernants de droit divin, non seulement la raison et la modernité, mais aussi le mouvement, le changement, sont du côté des gouvernants, ministres,

---

* Intervention à la gare de Lyon, lors des grèves de décembre 1995.

patrons ou «experts»; la déraison et l'archaïsme, l'inertie et le conservatisme du côté du peuple, des syndicats, des intellectuels critiques.

C'est cette certitude technocratique qu'exprime Juppé, lorsqu'il s'écrie : «Je veux que la France soit un pays sérieux et un pays heureux». Ce qui peut se traduire : «je veux que les gens sérieux, c'est-à-dire, les élites, les énarques, ceux qui savent où est le bonheur du peuple, soient en mesure de faire le bonheur du peuple, fût-ce malgré lui, c'est-à-dire contre sa volonté; en effet, aveuglé par ses désirs, dont parlait le philosophe, le peuple ne connaît pas son bonheur – en particulier son bonheur d'être gouverné par des gens qui, comme M. Juppé, connaissent son bonheur mieux que lui». Voilà comment pensent les technocrates et comment ils entendent la démocratie. Et l'on comprend qu'ils ne comprennent pas que le peuple, au nom duquel ils prétendent gouverner, descende dans la rue – comble d'ingratitude! – pour s'opposer à eux.

Cette noblesse d'État, qui prêche le dépérissement de l'État et le règne sans partage du marché et du consommateur, substitut commercial du citoyen, a fait main basse sur l'État; elle a fait du bien public, un bien privé, de la chose publique, de la République, sa chose. Ce qui est en jeu, aujourd'hui, c'est la reconquête de la démocratie contre la technocratie : il faut en finir avec la tyrannie des «experts», style Banque mondiale ou FMI, qui imposent sans discussion les verdicts du nouveau Léviathan, «les marchés financiers», et qui n'entendent pas négocier, mais «expliquer»; il faut rompre avec la nouvelle foi en l'inévitabilité historique que professent les théoriciens du libéralisme; il faut inventer les nouvelles formes d'un travail politique collectif capable de prendre acte des nécessités, économiques notamment (ce peut être la tâche des experts), mais pour les combattre et, le cas échéant, les neutraliser.

La crise d'aujourd'hui est une chance historique, pour la France et sans doute aussi pour tous ceux, chaque jour plus nombreux, qui, en Europe et ailleurs dans le monde, refusent la nouvelle alternative : libéralisme ou barbarie. Cheminots, postiers, enseignants, employés des services publics, étudiants, et tant d'autres, activement ou passivement engagés dans le mouvement, ont posé, par leurs manifestations, par leurs déclarations, par les réflexions innombrables qu'ils ont déclenchées et que le couvercle médiatique s'efforce en vain d'étouffer, des problèmes tout à fait fondamentaux, trop importants pour être laissés à des technocrates aussi suffisants qu'insuffisants : comment restituer aux premiers intéressés, c'est-à-dire à chacun de nous, la définition éclairée et raisonnable de l'avenir des services publics, santé, éducation, transports, etc., en liaison notamment avec ceux qui, dans les autres pays d'Europe, sont exposés aux mêmes menaces ? Comment réinventer l'école de la République, en refusant la mise en place progressive, au niveau de l'enseignement supérieur, d'une éducation à deux vitesses, symbolisée par l'opposition entre les Grandes écoles et les facultés ? Et l'on peut poser la même question à propos de la santé ou des transports. Comment lutter contre la précarisation qui frappe tous les personnels des services publics et qui entraîne des formes de dépendance et de soumission, particulièrement funestes dans les entreprises de diffusion culturelle, radio, télévision ou journalisme, par l'effet de censure qu'elles exercent, ou même dans l'enseignement ?

Dans le travail de réinvention des services publics, les intellectuels, écrivains, artistes, savants, etc., ont un rôle déterminant à jouer. Ils peuvent d'abord contribuer à briser le monopole de l'orthodoxie technocratique sur les moyens de diffusion. Mais ils peuvent aussi s'engager, de manière organisée et permanente, et pas seulement dans les rencontres occasionnelles d'une conjoncture de crise, aux côtés de ceux qui sont en mesure d'orienter efficacement l'avenir de la société, associations et syndicats notamment, et travailler à élaborer des analyses rigoureuses et des propositions inventives sur les grandes questions que l'orthodoxie médiatico-politique interdit de poser : je pense en particulier à la question de l'unification du champ économique mondial et des effets économiques et sociaux de la nouvelle division mondiale du travail, ou à la question des prétendues lois d'airain des marchés financiers au nom desquelles sont sacrifiées tant d'initiatives politiques, à la question des fonctions de l'éducation et de la culture dans des économies où le capital informationnel est devenu une des forces productives les plus déterminantes, etc.

Ce programme peut paraître abstrait et purement théorique. Mais on peut récuser le technocratisme autoritaire sans tomber dans un populisme, auquel les mouvements sociaux du passé ont trop souvent sacrifié, et qui fait le jeu, une fois de plus, des technocrates.

Ce que j'ai voulu exprimer, en tout cas, peut-être maladroitement, – et j'en demande pardon à ceux que j'aurais pu choquer ou ennuyer –, c'est une solidarité réelle avec ceux qui se battent aujourd'hui pour changer la société : je pense en effet qu'on ne peut combattre efficacement la technocratie, nationale et internationale, qu'en l'affrontant sur son terrain privilégié, celui de la science, économique notamment, et en opposant à la connaissance abstraite et mutilée dont elle se prévaut, une connaissance plus respectueuse des hommes et des réalités auxquelles ils sont confrontés.

Paris, décembre 1995

Le mythe de la «mondialisation» et l'État social européen*

On entend dire partout, à longueur de journée, – et c'est ce qui fait la force de ce discours dominant –, qu'il n'y a rien à opposer à la vision néo-libérale, qu'elle parvient à se présenter comme évidente, comme dépourvue de toute alternative. Si elle a cette sorte de banalité, c'est qu'il y a tout un travail d'inculcation symbolique auquel participent, passivement, les journalistes ou les simples citoyens, et surtout, activement, un certain nombre d'intellectuels. Contre cette imposition permanente, insidieuse, qui produit, par imprégnation, une véritable croyance, il me semble que les chercheurs ont un rôle à jouer. D'abord ils peuvent analyser la production et la circulation de ce discours. Il y a de plus en plus de travaux, en Angleterre, aux États-Unis, en France, qui décrivent de manière très précise les procédures selon lesquelles cette vision du monde est produite, diffusée et inculquée. Par toute une série d'analyses à la fois des textes, des revues dans lesquelles ils étaient publiés et qui se sont peu à peu imposées comme légitimes, des caractéristiques de leurs auteurs, des colloques dans lesquels ceux-ci se réunissaient pour les produire, etc., ils ont montré comment, et en Angleterre et en France, un travail constant a été fait, associant des intellectuels, des journalistes, des hommes d'affaires, pour imposer comme allant de soi une vision néo-libérale qui, pour l'essentiel, habille de rationalisations économiques les présupposés les plus classiques de la pensée conserva-

---

* Intervention à la Confédération générale des travailleurs grecs (GSEE) à Athènes, en octobre 1996.

trice de tous les temps et de tous les pays. Je pense à une étude sur le rôle de la revue *Preuves* qui, financée par la CIA, a été patronnée par de grands intellectuels français, et qui, pendant 20 à 25 ans – pour que quelque chose de faux devienne évident, cela prend du temps –, a produit inlassablement, à contre-courant au début, des idées qui sont peu à peu devenues évidentes[1]. La même chose s'est passée en Angleterre, et le thatchérisme n'est pas né de Mme Thatcher. Il était préparé depuis très longtemps par des groupes d'intellectuels qui avaient pour la plupart des tribunes dans les grands journaux[2]. Une première contribution possible des chercheurs pourrait être de travailler à la diffusion de ces analyses, sous des formes accessibles à tous.

Ce travail d'imposition, commencé depuis très longtemps, continue aujourd'hui. Et on peut observer régulièrement l'apparition, comme par miracle, à quelques jours d'intervalle, dans tous les journaux français, avec des variantes liées à la position de chaque journal dans l'univers des journaux, de constats sur la situation économique miraculeuse des États-Unis ou de l'Angleterre. Cette sorte de goutte-à-goutte symbolique auquel les journaux écrits et télévisés contribuent très fortement – en grande partie inconsciemment, parce que la plupart des gens qui répètent ces propos le font de bonne foi –, produit des effets très profonds. C'est ainsi qu'au bout du compte, le néo-libéralisme se présente sous les dehors de l'*inévitabilité*.

C'est tout un ensemble de présupposés qui sont imposés comme allant de soi : on admet que la croissance maximum, donc la productivité et la compétitivité, est la fin ultime et unique des actions humaines ; ou qu'on ne peut résister aux forces économiques. Ou encore, présupposé qui fonde tous les présupposés de l'économie, on fait une coupure radicale entre l'économique et le social, laissé à l'écart, et abandonné aux sociologues, comme une sorte de rebut. Autre présupposé important, c'est le lexique commun qui nous envahit, que nous absorbons dès que nous ouvrons un journal, dès que nous écoutons une radio, et qui est fait, pour l'essentiel, d'euphémismes. Malheureusement, je n'ai pas d'exemples grecs, mais je pense que vous n'aurez pas de peine à en trouver. Par exemple en France, on ne dit plus le patronat, on dit « les forces vives de la nation »; on ne parle pas de débauchage, mais de « dégraissage », en utilisant une analogie sportive (un corps vigoureux doit être mince). Pour annoncer qu'une entreprise va débaucher 2 000 personnes, on parlera du « plan social courageux de Alcatel ». Il y a aussi tout un jeu avec les connotations et les associations de mots comme flexibilité, souplesse, dérégulation, qui tend à faire croire que le message néo-libéral est un message universaliste de libération.

Contre cette *doxa*, il faut, me semble-t-il, se défendre en la soumettant à l'analyse et en essayant de comprendre les mécanismes selon lesquels elle est produite et imposée. Mais cela ne suffit pas, même si c'est très important, et on peut lui opposer un certain nombre de constats empiriques. Dans le cas de la France, l'État a commencé à abandonner un certain nombre de terrains de l'action sociale. La conséquence, c'est une somme extraordinaire de souffrances de toutes sortes, qui n'affectent pas seulement les gens frappés par la grande misère. On peut ainsi montrer qu'à l'origine des problèmes qui s'observent dans les banlieues des grandes villes, il y a une politique néolibérale du logement qui, mise en pratique dans les années 1970 (l'aide « à la personne »), a entraîné une ségrégation sociale, avec d'un côté le sous-prolétariat composé pour une bonne part d'immigrés, qui est resté dans les grands ensembles collectifs et, de l'autre, les travailleurs permanents dotés d'un salaire stable et la petite-bourgeoisie qui sont partis dans des petites maisons individuelles qu'ils ont achetées avec des crédits entraînant pour eux des contraintes énormes. Cette coupure sociale a été déterminée par une mesure politique.

Aux États-Unis, on assiste à un dédoublement de l'État, avec d'un côté un État qui assure des garanties sociales, mais pour les privilégiés, suffisamment assurés pour donner des assurances, des garanties, et un État répressif, policier, pour le peuple. Dans l'État de Californie, un des plus riches des États-Unis, – il a été un moment constitué par certains sociologues français en paradis de toutes les libérations –, et des plus conservateurs aussi, qui est doté de l'université sans doute la plus prestigieuse du monde, le budget des prisons est supérieur, depuis 1994, au budget de toutes les universités réunies. Les Noirs du ghetto de Chicago ne connaissent de l'État que le policier, le juge, le gardien de prison et le *parole officer*, c'est-à-dire l'officier d'application des peines devant qui ils doivent se présenter régulièrement sous peine de repartir en prison. On a affaire là à une sorte de réalisation du rêve des dominants, un État qui, comme l'a montré Loïc Wacquant, se réduit de plus en plus à sa fonction policière.

Ce que nous voyons aux États-Unis et qui s'esquisse en Europe, c'est un processus d'*involution*. Quand on étudie la naissance de l'État dans les sociétés où l'État s'est constitué le plus tôt, comme la France et l'Angleterre, on observe d'abord une concentration de force physique et une concentration de force économique – les deux allant de pair, il faut de l'argent pour pouvoir faire des guerres, pour pouvoir faire la police, etc. et il faut des forces de police pour pouvoir prélever de l'argent. Ensuite on a une concentration de capital culturel, puis une concentration d'autorité. Cet État, à mesure qu'il avance, acquiert de l'autonomie, devient partiellement indépendant des forces sociales et économiques dominantes. La bureaucratie d'État commence à être en mesure de distordre les volontés des dominants, de les interpréter et parfois d'inspirer des politiques.

Le processus de régression de l'État fait voir que la résistance à la croyance et à la politique néo-libérales est d'autant plus forte dans les différents pays que les traditions étatiques y étaient plus fortes. Et ceci s'explique parce que l'État existe sous deux formes : dans la réalité objective, sous la forme d'un ensemble d'institutions comme des règlements, des bureaux, des ministères, etc. et aussi dans les têtes. Par exemple, à l'intérieur de la bureaucratie française, lors de la réforme du financement du logement, les ministères sociaux ont lutté contre les ministères financiers, pour défendre la politique sociale du logement. Ces fonctionnaires avaient intérêt à défendre leur ministères, leurs positions ; mais, c'est aussi qu'ils y croyaient, qu'ils défendaient leurs convictions. L'État, dans tous les pays, est, pour une part, la trace dans la réalité de conquêtes sociales. Par exemple, le ministère du Travail est une conquête sociale devenue une réalité, même si, dans certaines circonstances, il peut être aussi un instrument de répression. Et l'État existe aussi dans la tête des travailleurs sous la forme de droit subjectif («ça c'est mon droit», «on ne peut pas me faire ça»), d'attachement aux «acquis sociaux», etc. Par exemple, une des grosses différences entre la France et l'Angleterre, c'est que les Anglais thatchérisés découvrent qu'ils n'ont pas résisté autant qu'ils auraient pu, en grande partie parce que le contrat de travail était un contrat de *common law*, et non, comme en France, une convention garantie par l'État. Et aujour-

d'hui, paradoxalement, au moment où, en Europe conti-
nentale, on exalte le modèle de l'Angleterre, au même
moment les travailleurs anglais regardent du côté du
Continent et découvrent qu'il offre des choses que leur
tradition ouvrière ne leur offrait pas, c'est-à-dire l'idée de
droit du travail.

L'État est une réalité ambiguë. On ne peut pas se
contenter de dire que c'est un instrument au service des
dominants. Sans doute l'État n'est-il pas complètement
neutre, complètement indépendant des dominants, mais
il a une autonomie d'autant plus grande qu'il est plus
ancien, qu'il est plus fort, qu'il a enregistré dans ses structures des conquêtes sociales plus importantes, etc. Il est le
lieu de conflits (par exemple entre les ministères financiers et les ministères dépensiers, chargés des problèmes
sociaux). Pour résister contre l'*involution de l'État*, c'est-à-
dire contre la régression vers un État pénal, chargé de la
répression, et sacrifiant peu à peu les fonctions sociales,
éducation, santé, assistance, etc., le mouvement social
peut trouver des appuis du côté des responsables des dos-
siers sociaux, chargés de la mise en oeuvre de l'aide aux
chômeurs de longue durée, qui s'inquiètent des ruptures
de la cohésion sociale, du chômage, etc., et qui s'opposent
aux financiers qui ne veulent connaître que les
contraintes de la «globalisation» et la place de la France
dans le monde.

J'ai évoqué la «globalisation»: c'est un mythe au sens
fort du terme, un discours puissant, une «idée force»,
une idée qui a de la force sociale, qui obtient la croyance.
C'est l'arme principale des luttes contre les acquis du *welfare state :* les travailleurs européens, dit-on, doivent rivaliser avec les travailleurs moins favorisés du reste du
monde. On donne ainsi en modèle aux travailleurs européens des pays où le salaire minimum n'existe pas, où les

ouvriers travaillent 12 heures par jour pour un salaire qui
varie entre 1/4 et 1/15ᵉ du salaire européen, où il n'y a pas
de syndicats, où l'on fait travailler les enfants, etc. Et c'est
au nom d'un tel modèle qu'on impose la flexibilité, autre
mot-clé du libéralisme, c'est-à-dire le travail de nuit, le
travail des week-ends, les heures de travail irrégulières,
autant de choses inscrites de toute éternité dans les rêves
patronaux. De façon générale, le néo-libéralisme fait revenir sous les dehors d'un message très chic et très moder-
ne les plus vieilles idées du plus vieux patronat. (Des
revues, aux États-Unis, dressent le palmarès de ces
patrons de choc, qui sont classés, comme leur salaire en
dollars, d'après le nombre de gens qu'ils ont eu le courage de licencier). C'est le propre des *révolutions conservatrices*, celle des années trente en Allemagne, celle des
Thatcher, Reagan et autres, de présenter des restaurations
comme des révolutions. La révolution conservatrice
aujourd'hui prend une forme inédite : il ne s'agit pas,
comme en d'autres temps, d'invoquer un passé idéalisé, à
travers l'exaltation de la terre et du sang, thèmes
archaïques des vieilles mythologies agraires. Cette révolution conservatrice d'un type nouveau se réclame du progrès, de la raison, de la science (l'économie en l'occurren-
ce) pour justifier la restauration et tente ainsi de renvoyer
dans l'archaïsme la pensée et l'action progressistes. Elle
constitue en normes de toutes les pratiques, donc en
règles idéales, les régularités réelles du monde économique abandonné à sa logique, la loi dite du marché,
c'est-à-dire la loi du plus fort. Elle ratifie et glorifie le
règne de ce que l'on appelle les marchés financiers, c'est-
à-dire le retour à une sorte de capitalisme radical, sans
autre loi que celle du profit maximum, capitalisme sans
frein et sans fard, mais rationalisé, poussé à la limite de
son efficacité économique par l'introduction de formes

modernes de domination, comme le management, et de techniques de manipulation, comme l'enquête de marché, le marketing, la publicité commerciale.

Si cette révolution conservatrice peut tromper, c'est qu'elle n'a plus rien, en apparence, de la vieille pastorale Forêt-Noire des révolutionnaires conservateurs des années trente ; elle se pare de tous les signes de la modernité. Ne vient-elle pas de Chicago ? Galilée disait que le monde naturel est écrit en langage mathématique. Aujourd'hui, on veut nous faire croire que c'est le monde économique et social qui se met en équations. C'est en s'armant de mathématique (et de pouvoir médiatique) que le néolibéralisme est devenu la forme suprême de la sociodicée conservatrice qui s'annonçait, depuis 30 ans, sous le nom de «fin des idéologies», ou, plus récemment, de «fin de l'histoire».

Pour combattre le mythe de la «mondialisation», qui a pour fonction de faire accepter une restauration, un retour à un capitalisme sauvage, mais rationalisé, et cynique, il faut revenir aux faits. Si l'on regarde les statistiques, on observe que la concurrence que subissent les travailleurs européens est pour l'essentiel intra-européenne. Selon les sources que j'utilise, 70% des échanges économiques des nations européennes s'établissent avec d'autres pays européens. En mettant l'accent sur la menace extra-européenne, on cache que le principal danger est constitué par la concurrence interne des pays européens et ce qu'on appelle parfois le *social dumping* : les pays européens à faible protection sociale, à salaires bas, peuvent tirer parti de leurs avantages dans la compétition, mais en tirant vers le bas les autres pays, ainsi contraints d'abandonner les acquis sociaux pour résister. Ce qui implique que, pour échapper à cette spirale, les travailleurs des pays avancés ont intérêt à s'associer aux travailleurs des pays les

moins avancés pour garder leurs acquis et pour en favoriser la généralisation à tous les travailleurs européens. (Ce
qui n'est pas facile, du fait des différences dans les traditions nationales, notamment dans le poids des syndicats
par rapport à l'État et dans les modes de financement de
la protection sociale.)

Mais ce n'est pas tout. Il y a aussi tous les effets, que
chacun peut constater, de la politique néo-libérale. Ainsi
un certain nombre d'enquêtes anglaises montrent que la
politique thatchérienne a suscité une formidable insécurité, un sentiment de détresse, d'abord chez les travailleurs
manuels, mais aussi dans la petite-bourgeoisie. On observe exactement la même chose aux États-Unis où l'on assiste à la multiplication des emplois précaires et sous-payés
(qui font baisser artificiellement les taux de chômage). Les
classes moyennes américaines, soumises à la menace du
licenciement brutal, connaissent une terrible insécurité
(faisant ainsi découvrir que ce qui est important dans un
emploi, ce n'est pas seulement le travail et le salaire qu'il
procure, mais la sécurité qu'il assure). Dans tous les pays,
la proportion des travailleurs à statut temporaire croît par
rapport à la population des travailleurs à statut permanent. La précarisation et la flexibilisation entraînent la
perte des faibles avantages (souvent décrits comme des
privilèges de «nantis») qui pouvaient compenser les
faibles salaires, comme l'emploi durable, les garanties de
santé et de retraite. La privatisation, de son côté, entraîne
la perte des acquis collectifs. Par exemple, dans le cas de
la France, les 3/4 des travailleurs nouvellement embauchés le sont à titre temporaire, et seulement 1/4 de ces 3/4
deviendront des travailleurs permanents. Evidemment les
nouveaux embauchés sont plutôt des jeunes. Ce qui fait
que cette insécurité frappe essentiellement les jeunes, en
France – nous l'avions aussi constaté dans notre livre *La*

Misère du monde – et aussi en Angleterre où la détresse des jeunes atteint des sommets, avec des conséquences comme la délinquance et autres phénomènes extrêmement coûteux.

À quoi s'ajoute, aujourd'hui, la destruction des bases économiques et sociales des acquis culturels les plus rares de l'humanité. L'autonomie des univers de production culturelle à l'égard du marché, qui n'avait pas cessé de s'accroître, à travers les luttes et les sacrifices des écrivains, des artistes et des savants, est de plus en plus menacée. Le règne du «commerce» et du «commercial» s'impose chaque jour davantage à la littérature, à travers notamment la concentration de l'édition, de plus en plus directement soumise aux contraintes du profit immédiat, à la critique littéraire et artistique, livrée aux plus opportunistes serviteurs des éditeurs – ou de leurs compères, avec les renvois d'ascenseur –, et surtout au cinéma (on peut se demander ce qui restera, dans dix ans, d'un cinéma de recherche européen, si rien n'est fait pour offrir aux producteurs d'avant-garde des moyens de production et surtout peut-être de diffusion); sans parler des sciences sociales, condamnées à s'asservir aux commandes directement intéressées des bureaucraties d'entreprises ou d'État ou à mourir de la censure des pouvoirs (relayés par les opportunistes) ou de l'argent.

Si la globalisation est avant tout un mythe justificateur, il y a un cas où elle est bien réelle, c'est celui des marchés financiers. À la faveur de l'abaissement d'un certain nombre de contrôles juridiques et de l'amélioration des moyens de communication modernes qui entraîne l'abaissement des coûts de communication, on s'oriente vers un marché financier unifié, ce qui ne veut pas dire homogène. Ce marché financier est dominé par certaines économies, c'est-à-dire par les pays les plus riches, et en particulier par le pays dont la monnaie est utilisée comme monnaie internationale de réserve et qui du coup dispose à l'intérieur de ces marchés financiers d'une grande marge de liberté. Le marché financier est un champ dans lequel les dominants, les États-Unis dans ce cas particulier, occupent une position telle qu'ils peuvent en définir en grande partie les règles du jeu. Cette unification des marchés financiers autour d'un certain nombre de nations détentrices de la position dominante entraîne une réduction de l'autonomie des marchés financiers nationaux. Les financiers français, les inspecteurs des Finances, qui nous disent qu'il faut se plier à la nécessité, oublient de dire qu'ils se font les complices de cette nécessité et que, à travers eux, c'est l'État national français qui abdique.

Bref, la globalisation n'est pas une homogénéisation, mais au contraire elle est l'extension de l'emprise d'un petit nombre de nations dominantes sur l'ensemble des places financières nationales. Il en résulte une redéfinition partielle de la division du travail international dont les travailleurs européens subissent les conséquences, avec par exemple le transfert de capitaux et d'industries vers les pays à main-d'oeuvre bon marché. Ce marché du capital international tend à réduire l'autonomie des marchés du capital national, et en particulier à interdire la manipulation par les États nationaux des taux de change, des taux d'intérêt, qui sont de plus en plus déterminés par un pouvoir concentré aux mains d'un petit nombre de pays. Les pouvoirs nationaux sont soumis au risque d'attaques spéculatives de la part d'agents dotés de fonds massifs qui peuvent provoquer une dévaluation, les gouvernements de gauche étant évidemment particulièrement menacés parce qu'ils suscitent la suspicion des marchés financiers (un gouvernement de droite qui fait une politique peu conforme aux idéaux du FMI est moins en danger qu'un gouvernement de gauche, même s'il fait une politique conforme aux idéaux du FMI). C'est la structure du champ mondial qui exerce une contrainte structurale, ce qui donne aux mécanismes une apparence de fatalité. La politique d'un État particulier est largement déterminée par sa position dans la structure de la distribution du capital financier (qui définit la structure du champ économique mondial).

En présence de ces mécanismes, que peut-on faire? Il faudrait réfléchir d'abord sur les limites implicites qu'accepte la théorie économique. La théorie économique ne prend pas en compte dans l'évaluation des coûts d'une politique, ce que l'on appelle les coûts sociaux. Par exemple, une politique de logement, celle qu'a décidée Giscard d'Estaing en 1970, impliquait des coûts sociaux à long terme qui n'apparaissent même pas comme tels car, en dehors des sociologues, qui se souvient, vingt ans plus tard, de cette mesure? Qui rattacherait une émeute de 1990 dans une banlieue de Lyon à une décision politique de 1970? Les crimes sont impunis parce qu'ils sont frappés d'oubli. Il faudrait que toutes les forces sociales critiques insistent sur l'incorporation dans les calculs économiques des coûts sociaux des décisions économiques. Qu'est-ce que cela coûtera à long terme en débauchages, en souffrances, en maladies, en suicides, en alcoolisme, en consommation de drogue, en violence dans la famille, etc. autant de choses qui coûtent très cher, en argent, mais aussi en souffrance? Je crois que, même si cela peut paraître très cynique, il faut retourner contre l'économie dominante ses propres armes, et rappeler que, dans la logique de l'intérêt bien compris, la politique strictement économique n'est pas nécessairement économique – en insécurité des personnes et des biens, donc en police, etc.

Plus précisément, il faut mettre en question radicalement la vision économique qui individualise tout, la production comme la justice ou la santé, les coûts comme les profits et qui oublie que l'efficacité, dont elle se donne une définition étroite et abstraite, en l'identifiant tacitement à la rentabilité financière, dépend évidemment des fins auxquelles on la mesure, rentabilité financière pour les actionnaires et les investisseurs, comme aujourd'hui, ou satisfaction des clients et des usagers, ou, plus largement, satisfaction et agrément des producteurs, des consommateurs et, ainsi, de proche en proche, du plus grand nombre. À cette économie étroite et à courte vue, il faut opposer une *économie du bonheur*, qui prendrait acte de tous les profits, individuels et collectifs, matériels et symboliques, associés à l'activité (comme la sécurité), et aussi de tous les coûts matériels et symboliques associés à l'inactivité ou à la précarité (par exemple, la consommation de médicaments : la France a le record de la consommation de tranquillisants). On ne peut pas tricher avec la *loi de la conservation de la violence* : toute violence se paie et par exemple la violence structurale qu'exercent les marchés financiers, sous forme de débauchages, de précarisation, etc., a sa contrepartie à plus ou moins long terme sous forme de suicides, de délinquance, de crimes, de drogue, d'alcoolisme, de petites ou de grandes violences quotidiennes.

Dans l'état actuel, les luttes critiques des intellectuels, des syndicats, des associations, doivent se porter en priorité contre le dépérissement de l'État. Les États nationaux sont minés du dehors par les forces financières, ils sont minés du dedans par ceux qui se font les complices de ces forces financières, c'est-à-dire les financiers, les hauts fonctionnaires des finances, etc. Je pense que les dominés ont intérêt à défendre l'État, en particulier dans son aspect social.

Cette défense de l'État ne s'inspire pas d'un nationalisme. Si l'on peut lutter contre l'État national, il faut défendre les fonctions «universelles» qu'il remplit et qui peuvent être remplies aussi bien, sinon mieux, par un État supranational. Si l'on ne veut pas que ce soit la Bundesbank qui, à travers les taux d'intérêt, gouverne les politiques financières des différents États, est-ce qu'il ne faut pas lutter pour la construction d'un État supranational, relativement autonome par rapport aux forces économiques internationales et aux forces politiques nationales et capable de développer la dimension sociale des institutions européennes? Par exemple, les mesures visant à assurer la réduction du temps de travail ne prendraient tout leur sens que si elles étaient prises par une instance européenne et applicables à l'ensemble des nations européennes.

Historiquement, l'État a été une force de rationalisation, mais qui a été mise au service des forces dominantes. Pour éviter qu'il en soit ainsi, il ne suffit pas de s'insurger contre les technocrates de Bruxelles. Il faudrait inventer un nouvel internationalisme, au moins à l'échelle régionale de l'Europe, qui pourrait offrir une alternative à la régression nationaliste qui, à la faveur de la crise, menace peu ou prou tous les pays Européens. Il s'agirait de construire des institutions qui soient capables de contrôler ces forces du marché financier, d'introduire – les Allemands ont un mot magnifique – un *Regrezionsverbot,* une interdiction de régression en matière d'acquis sociaux à l'échelle européenne. Pour cela, il est absolument indispensable que les instances syndicales agissent à ce niveau supranational, parce que c'est là que s'exercent les forces contre lesquelles elles se battent. Il faut donc essayer de créer les bases organisationnelles d'un véritable internationalisme critique capable de s'opposer vraiment au néolibéralisme.

Dernier point. Pourquoi les intellectuels sont-ils ambigus dans tout cela ? Je n'entreprendrai pas d'énumérer, – ce serait trop long et trop cruel – toutes les formes de la démission ou, pire, de la collaboration. J'évoquerai seulement les débats des philosophes dits modernes ou postmodernes qui, lorsqu'ils ne se contentent pas de laisser faire, occupés qu'ils sont par leurs jeux scolastiques, s'enferment dans une défense verbale de la raison et du dialogue rationnel ou, pire, proposent une variante dite post-moderne, en fait « radical chic », de l'idéologie de la fin des idéologies, avec la condamnation des grands récits ou la dénonciation nihiliste de la science.

En fait, la force de l'idéologie néo-libérale, c'est qu'elle repose sur une sorte de néo-darwinisme social : ce sont « les meilleurs et les plus brillants », comme on dit à Harvard, qui triomphent (Becker, prix Nobel d'économie, a développé l'idée que le darwinisme est le fondement de l'aptitude au calcul rationnel qu'il prête aux agents économiques). Derrière la vision mondialiste de l'internationale des dominants, il y a une philosophie de la compétence selon laquelle ce sont les plus compétents qui gouvernent, et qui ont du travail, ce qui implique que ceux qui n'ont pas de travail ne sont pas compétents. Il y a les *winners* et les *losers*, il y a la noblesse, ce que j'appelle la noblesse d'État, c'est-à-dire ces gens qui ont toutes les propriétés d'une noblesse au sens médiéval du terme et qui doivent leur autorité à l'éducation, c'est-à-dire, selon eux, à l'intelligence, conçue comme un don du Ciel, dont nous savons qu'en réalité elle est distribuée par la société, les inégalités d'intelligence étant des inégalités sociales. L'idéologie de la compétence convient très bien pour justifier une opposition qui ressemble un peu à celle des maîtres et des esclaves : avec d'un côté des citoyens à part entière qui ont des capacités et des activités très rares et surpayées, qui sont en mesure de choisir leur employeur (alors que les autres sont choisis par leur employeur, dans le meilleur des cas), qui sont en mesure d'obtenir de très hauts revenus sur le marché du travail international, qui sont suroccupés, hommes et femmes (j'ai lu une très belle étude anglaise sur ces couples de cadres fous qui courent le monde, qui sautent d'un avion à un autre, qui ont des revenus hallucinants qu'ils ne peuvent même pas rêver de dépenser en quatre vies, etc.), et puis, de l'autre côté, une masse de gens voués aux emplois précaires ou au chômage.

Max Weber disait que les dominants ont toujours besoin d'une «théodicée de leurs privilèges», ou, mieux, d'une sociodicée, c'est-à-dire d'une justification théorique du fait qu'ils sont privilégiés. La compétence est aujourd'hui au cœur de cette sociodicée, qui est acceptée, évidemment, par les dominants – c'est leur intérêt – mais aussi par les autres[3]. Dans la misère des exclus du travail, dans la misère des chômeurs de longue durée, il y a quelque chose de plus que dans le passé. L'idéologie anglo-saxonne, toujours un peu prédicatrice, distinguait les pauvres immoraux et les *deserving poor* – les pauvres méritants – dignes de la charité. À cette justification éthique est venue s'ajouter ou se substituer une justification intellectuelle. Les pauvres ne sont pas seulement immoraux, alcooliques, corrompus, ils sont stupides, inintelligents. Dans la souffrance sociale, entre pour une grande part la misère du rapport à l'école qui ne fait pas seulement les destins sociaux mais aussi l'image que les gens se font de ce destin (ce qui contribue sans doute à expliquer ce que l'on appelle la passivité des dominés, la difficulté à les mobiliser, etc.). Platon avait une vision du monde social qui ressemble à celle de nos technocrates, avec les philosophes, les gardiens, puis le peuple. Cette philosophie est inscrite, à l'état implicite, dans le système

scolaire. Très puissante, elle est très profondément intériorisée. Pourquoi est-on passé de l'intellectuel engagé à
l'intellectuel «dégagé»? En partie parce que les intellectuels sont détenteurs de capital culturel et que, même s'ils
sont dominés parmi les dominants, ils font partie des
dominants. C'est un des fondements de leur ambivalence, de leur engagement mitigé dans les luttes. Ils participent confusément de cette idéologie de la compétence.
Quand ils se révoltent, c'est encore, comme en 33 en
Allemagne, parce qu'ils estiment ne pas recevoir tout ce
qui leur est dû, étant donné leur compétence, garantie
par leurs diplômes.

Athènes, octobre 1996

1 - P. Grémion, *Preuves, une revue européenne à Paris*, Paris, Julliard,
1989 et *Intelligence de l'anti-communisme, le congrès pour la liberté
de la culture à Paris*, Paris, Fayard, 1995.

2 - K. Dixon, «Les Evangélistes du Marché», *Liber*, 32, septembre
1997, pp.5-6; C. Pasche et S. Peters, «Les premiers pas de la
Société du Mont-Pélerin ou les dessous chics du néolibéralisme»,
Les Annuelles (L'avènement des sciences sociales comme disciplines
académiques), 8, 1997, pp.191-216.

3 - *Cf.* P. Bourdieu, «Le racisme de l'intelligence», in *Questions
de sociologie*, Paris, Éd. de Minuit, 1980, pp.264-268.

La pensée Tietmeyer*

Je ne voudrais pas être ici pour apporter un «supplément d'âme». La rupture des liens d'intégration sociale que l'on demande à la culture de renouer est la conséquence directe d'une politique, d'une politique économique. Et l'on attend souvent des sociologues qu'ils réparent les pots cassés par les économistes. Donc, au lieu de me contenter de proposer ce que, dans les hôpitaux, on appelle des soins palliatifs, je voudrais essayer de poser la question de la contribution du médecin à la maladie. Il se pourrait en effet que, pour une grande part, les «maladies» sociales que nous déplorons soient produites par la médecine souvent brutale que l'on applique à ceux qu'on est censé soigner.

Pour cela, ayant lu, dans l'avion qui m'amenait d'Athènes à Zurich, une interview du président de la Banque d'Allemagne, présenté comme le «grand prêtre du deutsche mark», ni plus ni moins, je voudrais, puisque je suis ici dans un centre connu pour ses traditions d'exégèse littéraire, me livrer à une sorte d'analyse herméneutique d'un texte dont vous trouverez l'intégralité dans *Le Monde* du 17 octobre 1996.

Voici ce que dit le «grand prêtre du deutsche mark»: «L'enjeu aujourd'hui, c'est de créer les conditions favorables à une croissance durable, et la confiance des investisseurs. Il faut donc contrôler les budgets publics.». C'est-à-dire – il sera plus explicite dans les phrases suivantes – enterrer le plus vite possible l'État social, et entre autres choses, ses politiques sociales et culturelles dispendieuses,

---

* Intervention lors des Rencontres culturelles franco-allemandes sur «L'intégration sociale comme problème culturel», Université de Fribourg (Allemagne), octobre 1996.

pour rassurer les investisseurs qui aimeraient mieux se charger eux-mêmes de leurs investissements culturels. Je suis sûr qu'ils aiment tous la musique romantique et la peinture expressionniste, et je suis persuadé, sans rien savoir sur le président de la Banque d'Allemagne, que, à ses heures perdues, comme le directeur de notre banque nationale, M. Trichet, il lit de la poésie et pratique le mécénat. Je reprends : « Il faut donc contrôler les budgets publics, baisser le niveau des taxes et impôts jusqu'à leur donner un niveau supportable à long terme. » Entendez : baisser le niveau des taxes et impôts des investisseurs jusqu'à les rendre supportables à long terme par ces mêmes investisseurs, évitant ainsi de les décourager et de les encourager à porter ailleurs leurs investissements. Je continue ma lecture : « réformer le système de protection sociale. ». C'est-à-dire enterrer le *welfare state* et ses politiques de protection sociale, bien faites pour ruiner la confiance des investisseurs, pour susciter leur méfiance légitime, certains qu'ils sont en effet que leurs acquis économiques, – on parle d'acquis sociaux, on peut bien parler d'acquis économiques –, je veux dire leurs capitaux, ne sont pas compatibles avec les acquis sociaux des travailleurs, et que ces acquis économiques doivent évidemment être sauvegardés à tout prix, fût-ce en ruinant les maigres acquis économiques et sociaux de la grande majorité des citoyens de l'Europe à venir, ceux que l'on a beaucoup désignés en décembre 1995 comme des *nantis*, des *privilégiés*.

M. Hans Tietmeyer est convaincu que les acquis sociaux des investisseurs, je veux dire leurs acquis économiques, ne survivraient pas à une perpétuation du système de protection sociale. C'est ce système qu'il faut donc réformer *d'urgence*, parce que les acquis économiques des investisseurs ne sauraient attendre. Et pour vous prouver que je n'exagère rien, je continue à lire M. Hans Tietmeyer, penseur de haute volée, qui s'inscrit dans la grande lignée de la philosophie idéaliste allemande : « Il faut donc contrôler les budgets publics, baisser le niveau des taxes et impôts jusqu'à leur donner un niveau supportable à long terme, réformer le système de protection sociale, démanteler les rigidités sur le marché du travail, de sorte qu'une nouvelle phase de croissance ne sera atteinte à nouveau que si nous faisons un effort » – le « nous faisons » est magnifique – « que si nous faisons un effort de flexibilité sur le marché du travail ». Ça y est. Les grands mots sont lâchés et M. Hans Tietmeyer, dans la grande tradition de l'idéalisme allemand, nous donne un magnifique exemple de la rhétorique euphémistique qui a cours aujourd'hui sur les marchés financiers : l'euphémisme est indispensable pour susciter durablement la confiance des investisseurs, – dont on aura compris qu'elle est l'alpha et l'oméga de tout le système économique, le fondement et le but ultime, le *telos*, de l'Europe de l'avenir –, tout en évitant de susciter la défiance ou le désespoir des travailleurs, avec qui, malgré tout, il faut aussi compter, si l'on veut avoir cette nouvelle phase de croissance qu'on leur fait miroiter, pour obtenir d'eux l'effort indispensable. Parce que c'est d'eux que cet effort est attendu malgré tout, même si M. Hans Tietmeyer, décidément passé maître en euphémismes, dit bien : « démanteler les rigidités sur les marchés du travail, de sorte qu'une nouvelle phase de croissance ne sera atteinte à nouveau que si *nous* faisons un effort de flexibilité sur le marché du travail ». Splendide travail rhétorique, qui peut se traduire : Courage travailleurs ! Tous ensemble faisons l'effort de flexibilité qui *vous* est demandé !

Au lieu de poser, imperturbable, une question sur la parité extérieure de l'euro, de ses rapports avec le dollar et le yen, le journaliste du *Monde*, soucieux lui aussi de ne pas décourager les investisseurs, qui lisent son journal et qui sont d'excellents annonceurs, aurait pu demander à M. Hans Tietmeyer le sens qu'il donne aux mots clés de la langue des investisseurs : *rigidité sur le marché du travail* et *flexibilité sur le marché du travail.* Les travailleurs, s'ils lisaient un journal aussi indiscutablement sérieux que *Le Monde,* entendraient immédiatement ce qu'il faut entendre : travail de nuit, travail pendant les week-ends, horaires irréguliers, pression accrue, stress, etc. On voit que, «sur-le-marché-du-travail», fonctionne comme une sorte d'épithète homérique susceptible d'être accrochée à un certain nombre de mots, et l'on pourrait être tenté, pour mesurer la flexibilité du langage de M. Hans Tietmeyer, de parler par exemple de flexibilité ou de rigidité sur les marchés financiers. L'étrangeté de cet usage dans la langue de bois de M. Hans Tietmeyer permet de supposer qu'il ne saurait être question, dans son esprit, de «démanteler les rigidités sur les marchés financiers», ou de «faire un effort de flexibilité sur les marchés financiers». Ce qui autorise à penser que, contrairement à ce que peut laisser croire le «nous» du «si nous faisons un effort» de M. Hans Tietmeyer, c'est aux travailleurs et à eux seuls, qu'est demandé cet effort de flexibilité, et que c'est encore à eux que s'adresse la menace, proche du chantage, qui est contenue dans la phrase : «de sorte qu'une nouvelle phase de croissance ne sera atteinte à nouveau que si nous faisons un effort de flexibilité sur le marché du travail». En clair : lâchez aujourd'hui *vos* acquis sociaux, toujours pour éviter d'anéantir la confiance des investisseurs, au nom de la croissance que cela *nous* apportera demain. Une logique bien connue des travailleurs concernés qui, pour résumer la politique de participation que leur offrait en d'autres temps le gaullisme, disaient : «Tu me donnes ta montre, et je te donne l'heure.»

Je relis une dernière fois, après ce commentaire, les propos de M. Hans Tietmeyer : «L'enjeu aujourd'hui, c'est de créer des conditions favorables à une croissance durable et à la confiance des investisseurs, il faut donc...» – remarquez le «donc» – «...contrôler les budgets publics, baisser le niveau des taxes et impôts jusqu'à leur donner un niveau supportable à long terme, réformer les systèmes de protection sociale, démanteler les rigidités sur les marchés du travail, de sorte qu'une nouvelle phase de croissance ne sera atteinte à nouveau que si nous faisons un effort de flexibilité sur les marchés du travail.». Si un texte aussi extraordinaire, aussi extraordinairement extra-ordinaire, était exposé à passer inaperçu et à connaître le destin éphémère des écrits quotidiens de quotidiens, c'est qu'il était parfaitement ajusté à l'«horizon d'attente» de la grande majorité des lecteurs de quotidiens que nous sommes. Et cela pose la question de savoir comment a été produit et répandu un «horizon d'attente» aussi répandu (parce que le minimum qu'il faut ajouter aux théories de la réception, dont je ne suis pas un adepte, est de se demander d'où sort cet «horizon»). Cet horizon est le produit d'un travail social ou, mieux, politique. Si les mots du discours de M. Hans Tietmeyer passent si facile-ment, c'est qu'ils ont cours partout. Ils sont partout, dans toutes les bouches, il courent comme monnaie courante, on les accepte sans hésiter, comme on fait précisément d'une monnaie, d'une monnaie stable et forte évidem-ment, aussi stable et aussi digne de confiance, de croyance, de créance, que le deutsche mark : «croissance durable», «confiance des investisseurs», «budgets publics», «systè-me de protection sociale», «rigidité», «marché du tra-vail», «flexibilité», à quoi il faudrait ajouter, «globalisa-tion» (j'ai appris par un autre journal que je lisais, tou-jours dans l'avion qui me menait d'Athènes à Zurich, que, signe d'une vaste diffusion, les cuisiniers parlent aussi de «globalisation» pour défendre la cuisine française...), « flexibilisation », « baisse des taux », – sans préciser lesquels –, « compétitivité », « productivité », etc.

Ce discours d'allure économique ne peut circuler au-delà du cercle de ses promoteurs qu'avec la collaboration d'une foule de gens, hommes politiques, journalistes, simples citoyens qui ont une teinture d'économie suffisante pour pouvoir participer à la circulation généralisée des mots mal étalonnés d'une vulgate économique. Un indice de l'effet que produit le ressassement médiatique, ce sont les questions du journaliste qui va en quelque sorte au devant des attentes de M. Tietmeyer : il est tellement imprégné par avance des réponses qu'il pourrait les produire. C'est à travers de telles complicités passives qu'est venue peu à peu à s'imposer une vision dite néo-libérale, en fait conservatrice, reposant sur une foi d'un autre âge dans l'inévitabilité historique fondée sur le primat de forces productives sans autres régulations que les volontés concurrentes des producteurs individuels. Et ce n'est peut-être pas par hasard que tellement de gens de ma génération sont passés sans peine d'un fatalisme marxiste à un fatalisme néo-libéral : dans les deux cas, l'économisme déresponsabilise et démobilise en annulant le politique et en imposant toute une série de fins indiscutées, croissance maximum, compétitivité, productivité. Prendre pour maître à penser le président de la Banque d'Allemagne, c'est accepter une telle philosophie. Ce qui peut surprendre, c'est que ce message fataliste se donne des allures de message de libération, par toute une série de jeux lexicaux autour de l'idée de liberté, de libération, de dérégulation, etc., par toute une série d'euphémismes, ou de doubles jeux avec les mots – le mot de « réforme » par exemple –, visant à présenter une restauration comme une révolution, selon une logique qui est celle de toutes les révolutions conservatrices.

Revenons pour finir au mot clé du discours de Hans Tietmeyer, *la confiance des marchés*. Il a le mérite de mettre en pleine lumière le choix historique devant lequel sont placés tous les pouvoirs : entre la confiance des marchés et la confiance du peuple, il faut choisir. Mais la politique qui vise à garder la confiance des marchés s'expose à perdre la confiance du peuple. Selon un sondage récent sur l'attitude à l'égard des hommes politiques, les deux tiers des personnes interrogées leur reprochent d'être incapables d'écouter et de prendre en compte ce que pensent les Français, reproche particulièrement fréquent chez les partisans du FN – dont on déplore par ailleurs l'irrésistible ascension, sans songer un seul instant à faire le lien entre le FN et le FMI. (Ce désespoir à propos des hommes politiques est particulièrement marqué chez les jeunes de 18 à 34 ans, chez les ouvriers et les employés et aussi chez les sympathisants du PC et du FN. Relativement élevé chez les partisans de tous les partis politiques, ce taux de méfiance atteint 64% parmi les sympathisants du PS, ce qui n'est pas non plus sans lien avec la montée du FN). Si on met la confiance des marchés financiers, qu'on entend sauver à tout prix, en relation avec la méfiance des citoyens, on voit peut-être mieux où est la racine de la maladie. L'économie est, sauf quelques exceptions, une science abstraite fondée sur la coupure, absolument injustifiable, entre l'économique et le social qui définit l'économisme. Cette coupure est au principe de l'échec de toute politique qui ne connaît pas d'autre fin que la sauvegarde de «l'ordre et de la stabilité économiques», ce nouvel Absolu dont M. Tietmeyer s'est fait le pieux desservant, échec auquel conduit l'aveuglement politique de quelques uns et que nous payons tous.

Fribourg, octobre 1996

Les chercheurs,
la science économique et
le mouvement social*

Le mouvement social de décembre 1995 a été un mouvement sans précédent par son ampleur, et surtout par ses
objectifs. Et s'il a été considéré comme extrêmement
important par une grande fraction de la population française et aussi internationale, c'est surtout parce qu'il a
introduit dans les luttes sociales des objectifs tout à fait
nouveaux. Confusément, sur le mode de l'esquisse, il a
apporté un véritable projet de société, collectivement
affirmé et capable de s'opposer à ce qui est imposé par la
politique dominante, par les révolutionnaires conservateurs qui sont actuellement au pouvoir, dans les instances
politiques et dans les instances de production de discours.

   Me demandant ce que des chercheurs pouvaient apporter à une entreprise comme les États généraux, je me suis
convaincu de la nécessité de leur présence en découvrant
la dimension proprement culturelle et idéologique de cette
révolution conservatrice. Si le mouvement de décembre a
été très largement plébiscité, c'est parce qu'il est apparu
comme une défense des acquis sociaux, non pas d'une
catégorie sociale particulière – même si une catégorie particulière en était le fer de lance, parce qu'elle était particulièrement touchée –, mais d'une société tout entière, et
même d'un ensemble de sociétés : ces acquis touchent au
travail, à l'éducation publique, aux transports publics, à

---

* Intervention lors de la séance inaugurale des États généraux
du mouvement social, Paris, 23-24 novembre 1996.

tout ce qui est public, et du même coup à l'État, cette
institution qui n'est pas – contrairement à ce qu'on veut
nous faire croire – nécessairement archaïque et régressive.

Si ce mouvement est apparu en France, ce n'est pas par
hasard. Il y a des raisons historiques. Mais ce qui devrait
frapper les observateurs, c'est qu'il se poursuit sous une
forme tournante, en France sous des formes différentes,
inattendues – le mouvement des routiers, qui l'aurait attendu sous cette forme? –, et aussi en Europe : en Espagne en
ce moment; en Grèce il y a quelques années; en
Allemagne, où le mouvement s'est inspiré du mouvement
français et a explicitement revendiqué son affinité avec lui;
en Corée, – ce qui est encore plus important, pour des raisons symboliques et pratiques. Cette sorte de lutte tournante est, me semble-t-il, à la recherche de son unité théorique et surtout pratique. Le mouvement français peut
être tenu pour l'avant-garde d'une lutte mondiale contre
le néo-libéralisme et contre la nouvelle révolution conservatrice, dans laquelle la dimension symbolique est extrêmement importante. Or je pense qu'une des faiblesses de
tous les mouvements progressistes tient au fait qu'ils ont
sous-estimé l'importance de cette dimension et qu'ils
n'ont pas toujours forgé des armes adaptées pour la
combattre. Les mouvements sociaux sont en retard de
plusieurs révolutions symboliques par rapport à leurs
adversaires, qui utilisent des conseillers en communication, des conseillers en télévision, etc.

La révolution conservatrice se réclame du néo-libéralisme, se donnant ainsi une allure scientifique, et la capacité d'agir en tant que théorie. Une des erreurs théorique
et pratique de beaucoup de théories – à commencer par la
théorie marxiste – a été d'oublier de prendre en compte
l'efficacité de la théorie. Nous ne devons plus commettre
cette erreur. Nous avons affaire à des adversaires qui s'ar-

ment de théories, et il s'agit, me semble-t-il, de leur opposer des armes intellectuelles et culturelles. Pour mener
cette lutte, du fait de la division du travail, certains sont
mieux armés que d'autres, parce que c'est leur métier. Et
un certain nombre d'entre eux sont prêts à se mettre au
travail. Que peuvent-ils apporter? D'abord une certaine
autorité. Comment a-t-on appelé les gens qui ont soutenu
le gouvernement en décembre? Des experts, alors qu'à eux
tous ils ne faisaient pas le quart du début du commen-
cement d'un économiste. À cet effet d'autorité, il faut
opposer un effet d'autorité.

Mais ce n'est pas tout. La force de l'autorité scientifique, qui s'exerce sur le mouvement social et jusqu'au
fond des consciences des travailleurs, est très grande. Elle
produit une forme de démoralisation. Et une des raisons
de sa force, c'est qu'elle est détenue par des gens qui ont
tous l'air d'accord entre eux – le consensus est en général
un signe de vérité. C'est aussi qu'elle repose sur les instruments apparemment les plus puissants dont dispose
aujourd'hui la pensée, en particulier les mathématiques.
Le rôle de ce que l'on appelle l'idéologie dominante est
peut-être tenu aujourd'hui par un certain usage de la
mathématique (c'est évidemment excessif, mais c'est une
façon d'attirer l'attention sur le fait que le travail de rationalisation – le fait de donner des raisons pour justifier des
choses souvent injustifiables – a trouvé aujourd'hui un
instrument très puissant dans l'économie mathématique). À cette idéologie, qui habille de raison pure une
pensée simplement conservatrice, il est important d'opposer des raisons, des arguments, des réfutations, des
démonstrations, et donc de faire du travail scientifique.

Une des forces de la pensée néo-libérale, c'est qu'elle se
présente comme une sorte de «grande chaîne de l'Être».
Comme dans la vieille métaphore théologique, où, à une

extrémité on a Dieu, et puis on va jusqu'aux réalités les plus humbles, par une série de maillons. Dans la nébuleuse néo-libérale, à la place de Dieu, tout en haut, il y a un mathématicien, et en bas, il y a un idéologue d'*Esprit*, qui ne sait pas grand chose de l'économie, mais qui peut faire croire qu'il en sait un peu, grâce à un petit vernis de vocabulaire technique. Cette chaîne très puissante a un effet d'autorité. Il y a des doutes, même parmi les militants, qui résultent pour une part de la force, essentiellement sociale, de la théorie qui donne autorité à la parole de M. Trichet ou de M. Tietmeyer, président de la Bundesbank, ou de tel ou tel essayiste. Ce n'est pas un enchaînement de démonstrations, c'est une chaîne d'autorités, qui va du mathématicien au banquier, du banquier au philosophe-journaliste, et de l'essayiste au journaliste. C'est aussi un canal dans lequel circulent de l'argent et toutes sortes d'avantages économiques et sociaux, des invitations internationales, de la considération. Nous sociologues, sans faire de la dénonciation, nous pouvons entreprendre le démontage de ces réseaux et montrer comment la circulation des idées est sous-tendue par une circulation de pouvoir. Il y a des gens qui échangent des services idéologiques contre des positions de pouvoir. Il faudrait donner des exemples, mais il suffit de lire attentivement la liste des signataires de la fameuse «Pétition des experts». Ce qui est intéressant en effet, c'est que des liaisons cachées entre des gens qui d'ordinaire travaillent isolément – même si on les voit souvent apparaître deux par deux dans de faux débats à la télévision –, entre des fondations, des associations, des revues, etc. s'y dévoilent au grand jour.

Ces gens tiennent collectivement, sur le mode du consensus, un discours fataliste, qui consiste à transformer des tendances économiques en destin. Or les lois sociales,

les lois économiques, etc., ne s'exercent que dans la mesure où on les laisse agir. Et si les conservateurs sont du côté
du laisser-faire, c'est qu'en général ces lois tendancielles
conservent, et qu'elles ont besoin du laisser-faire pour
conserver. Celles des marchés financiers notamment, dont
on nous parle en permanence, sont des lois de conservation, qui ont besoin du laisser-faire pour s'accomplir.

Il faudrait développer, argumenter, et surtout nuancer.
Je demande pardon pour le côté un peu simplificateur de
ce que j'ai dit. Pour ce qui est du mouvement social, il
peut se contenter d'exister; il crée assez d'emmerdements
comme ça, et on ne va pas lui demander en plus de produire des justifications. Alors qu'aux intellectuels qui s'associent au mouvement social, on demande tout de suite :
« Mais qu'est-ce que vous proposez ? » Nous n'avons pas à
tomber dans le piège du programme. Il y a bien assez de
partis et d'appareils pour ça. Ce que nous pouvons faire,
c'est créer non un contre-programme, mais un dispositif
de recherche collectif, interdisciplinaire et international,
associant des chercheurs, des militants, des représentants
des militants, etc., les chercheurs étant placés dans un rôle
bien défini : ils peuvent participer de manière particulièrement efficace, parce que c'est leur métier, à des groupes
de travail et de réflexion, en association avec des gens qui
sont dans le mouvement.

Ce qui exclut d'emblée un certain nombre de rôles : les
chercheurs ne sont pas des compagnons de route, c'est-à-
dire des otages et des cautions, des potiches et des alibis
qui signent des pétitions et dont on se débarrasse dès
qu'on les a utilisés ; ce ne sont pas non plus des apparat-
chiks jdanoviens qui viennent exercer dans les mouvements sociaux des pouvoirs d'apparence intellectuelle
qu'ils ne peuvent pas exercer dans la vie intellectuelle ; ce
ne sont pas non plus des experts qui viennent donner des

leçons, – pas même pas des experts anti-experts; ce ne sont pas non plus des prophètes qui vont répondre à toutes les questions sur le mouvement social, sur son avenir. Ce sont des gens qui peuvent aider à définir la fonction d'instances comme celle-ci. Ou rappeler que les personnes qui sont ici ne sont pas présentes en tant que porte-parole, mais en tant que citoyens qui viennent dans un lieu de discussion et de recherche, avec des idées, des arguments, en laissant au vestiaire les langues de bois, les plates-formes et les habitudes d'appareil. Ce n'est pas toujours facile. Parmi les habitudes d'appareil qui risquent de revenir, il y a la création de commissions, les motions de synthèse souvent préparées à l'avance, etc. La sociologie enseigne comment fonctionnent les groupes et comment se servir des lois selon lesquelles fonctionnent les groupes pour tenter de les déjouer.

Il faut inventer de nouvelles formes de communication entre les chercheurs et les militants, soit une nouvelle division du travail entre eux. Une des missions que les chercheurs peuvent remplir peut-être mieux que personne, c'est la lutte contre le matraquage médiatique. Nous entendons tous à longueur de journée des phrases toutes faites. On ne peut plus ouvrir la radio sans entendre parler de «village planétaire», de «mondialisation», etc. Ce sont des mots qui n'ont l'air de rien, mais à travers lesquels passe toute une philosophie, toute une vision du monde, qui engendrent le fatalisme, la soumission. On peut contrecarrer ce matraquage en critiquant les mots, en aidant les non-professionnels à se doter d'armes de résistance spécifiques, pour combattre les effets d'autorité, l'emprise de la télévision, qui joue un rôle absolument capital. On ne peut plus mener aujourd'hui de luttes sociales sans disposer de programmes de lutte spécifique avec et contre la télévision. Je renvoie au livre de Patrick

Champagne, *Faire l'opinion*, qui devrait être une sorte de manuel du combattant politique[1]. Dans cette lutte, le combat contre les intellectuels médiatiques est important. Pour ma part, ces gens ne m'empêchent pas de dormir et je ne pense jamais à eux quand j'écris, mais ils ont un rôle extrêmement important du point de vue politique, et il est souhaitable qu'une fraction des chercheurs accepte de distraire une part de son temps et de son énergie, sur le mode militant, pour contrecarrer leur action.

Autre objectif, inventer de nouvelles formes d'action symbolique. Sur ce point, je pense que les mouvements sociaux, avec quelques exceptions historiques, sont en retard. Dans son livre, Patrick Champagne montre comment certaines grandes mobilisations peuvent recevoir moins de place dans les journaux et à la télévision que des manifestations minuscules, mais produites de telle façon qu'elles intéressent les journalistes. Il ne s'agit évidemment pas de lutter contre les journalistes, eux aussi soumis aux contraintes de la précarisation, avec tous les effets de censure qu'elle engendre dans tous les métiers de production culturelle. Mais il est capital de savoir qu'une part énorme de ce que nous pouvons dire ou faire sera filtré, c'est-à-dire souvent annihilé, par ce qu'en diront les journalistes. Y compris ce que nous allons faire ici. Voilà une remarque qu'ils ne reproduiront pas dans leurs comptes rendus...

Pour finir, je dirai qu'un des problèmes, c'est d'être réflexif – c'est un grand mot, mais il n'est pas utilisé gratuitement. Nous avons pour objectif non pas seulement d'inventer des réponses, mais d'inventer une manière d'inventer les réponses, d'inventer une nouvelle forme d'organisation du travail de contestation et d'organisation de la contestation, du travail militant. Ce à quoi nous pourrions rêver, nous chercheurs, c'est qu'une part de nos recherches puisse être utile au mouvement social au lieu de se perdre, comme c'est souvent le cas aujourd'hui, parce qu'interceptée et déformée par des journalistes ou par des interprètes hostiles, etc. Nous souhaitons, dans le cadre de groupes comme «Raisons d'agir», inventer des formes d'expression nouvelles, qui permettent de communiquer aux militants les acquis les plus avancés de la recherche. Mais cela suppose aussi de la part des chercheurs un changement de langage et d'état d'esprit.

Pour en revenir au mouvement social, je pense, comme je l'ai dit tout à l'heure, que nous avons affaire à des mouvements tournants – j'aurais aussi pu nommer les grèves des étudiants et des professeurs en Belgique, les grèves en Italie, etc. – de lutte contre l'impérialisme néo-libéral, luttes qui ne se connaissent pas entre elles le plus souvent (et qui peuvent prendre des formes qui ne sont pas toujours sympathiques, comme certaines formes d'intégrisme). Il faut donc unifier au moins l'information internationale et la faire circuler. Il faut réinventer l'internationalisme, qui a été capté et détourné par l'impérialisme soviétique, c'est-à-dire inventer des formes de pensée théorique et des formes d'action pratique capables de se situer au niveau où doit avoir lieu le combat. S'il est vrai que la plupart des forces économiques dominantes agissent au niveau mondial, transnational, il est vrai aussi qu'il y a un lieu vide, celui des luttes transnationales. Vide théoriquement, parce qu'il n'est pas pensé, ce lieu n'est pas occupé pratiquement, faute d'une véritable organisation internationale des forces capables de contrecarrer, au moins à l'échelle européenne, la nouvelle révolution conservatrice.

Paris, novembre 1996

---

1 - P. Champagne, *Faire l'opinion*, Paris, Éd. de Minuit, 1993.

Pour un nouvel internationalisme*

Les peuples de l'Europe sont aujourd'hui à un tournant de leur histoire parce que les conquêtes de plusieurs siècles de luttes sociales, de combats intellectuels et politiques pour la dignité des travailleurs sont directement menacées. Les mouvements qui s'observent, ici et là, ici puis là, dans l'ensemble de l'Europe, et même ailleurs, jusqu'en Corée, ces mouvements qui se succèdent, en Allemagne, en France, en Grèce, en Italie, etc., apparemment sans coordination véritable, sont autant de révoltes contre une politique qui prend des formes différentes selon les domaines et selon les pays et qui, néanmoins, s'inspire toujours de la même intention, à savoir de détruire les acquis sociaux, qui sont, quoi qu'on en dise, parmi les conquêtes les plus hautes de la civilisation ; des conquêtes qu'il s'agit d'universaliser, d'étendre à tout l'univers, de mondialiser au lieu de prendre prétexte de la «mondialisation», de la concurrence de pays moins avancés, économiquement et socialement, pour les mettre en question. Rien n'est plus naturel et plus légitime que la défense de ces acquis, que certains veulent présenter comme une forme de conservatisme, ou d'archaïsme. Condamnerait-on comme conservatrice la défense des acquis culturels de l'humanité, Kant ou Hegel, Mozart ou Beethoven ? Les acquis sociaux dont je parle, droit du travail, sécurité sociale, pour lesquels des hommes et des femmes ont souffert et combattu, sont des conquêtes aussi hautes et

---

* Intervention lors du troisième Forum du DGB de la Hesse, Francfort, le 7 juin 1997.

aussi précieuses et qui, en outre, ne survivent pas seulement dans les musées, les bibliothèques et les académies,
mais sont vivantes et agissantes dans la vie des gens et
commandent leur existence de tous les jours. C'est pourquoi je ne puis m'empêcher d'éprouver quelque chose
comme un sentiment de scandale devant ceux qui, se faisant les alliés des forces économiques les plus brutales,
condamnent ceux qui, en défendant leurs acquis, parfois
décrits comme des «privilèges», défendent les acquis de
tous les hommes et de toutes les femmes, d'Europe et
d'ailleurs.

L'interpellation que j'ai lancée, il y a quelques mois, à
M. Tietmeyer a été souvent mal comprise. Et cela parce
qu'on l'a entendue comme une réponse à une question
mal posée, parce que posée, précisément, dans une
logique qui est celle de la pensée néo-libérale, dont se
réclame M. Tietmeyer. Selon cette vision, on admet que
l'intégration monétaire, symbolisée par la création de
l'euro, est le préalable obligatoire, la condition nécessaire
et suffisante de l'intégration politique de l'Europe. En
d'autres termes, on tient que l'intégration politique de
l'Europe découlera nécessairement, inéluctablement, de
l'intégration économique. Ce qui implique que s'opposer
à la politique d'intégration monétaire, et à ses défenseurs,
comme M. Tietmeyer, c'est en apparence s'opposer à l'intégration politique, bref, être «contre l'Europe».

Or il n'en est rien. Ce qui est en question, c'est le rôle
de l'État (des États nationaux actuellement existants ou de
l'État européen qu'il s'agirait de créer), notamment dans
la protection des droits sociaux, le rôle de l'État social,
seul capable de contrecarrer les mécanismes implacables
de l'économie abandonnée à elle-même. On peut être
contre une Europe qui, comme celle de M. Tietmeyer,
servirait de relais aux marchés financiers tout en étant

pour une Europe qui, par une politique concertée, ferait obstacle à la violence sans frein de ces marchés. Mais rien n'autorise à espérer pareille politique de l'Europe des banquiers qu'on nous prépare. On ne peut pas attendre de l'intégration monétaire qu'elle assure l'intégration sociale. Tout au contraire : on sait en effet que les États qui voudront préserver leur compétitivité au sein de la zone euro aux dépens de leurs partenaires n'auront pas d'autre recours que d'abaisser les charges salariales en réduisant les charges sociales ; le *dumping social* et salarial, la « flexibilisation » du marché du travail seront les seuls recours laissés aux États, privés de la possibilité de jouer sur les taux de change. A l'effet de ces mécanismes viendra s'ajouter sans doute la pression des « autorités monétaires », comme la Bundesbank et ses dirigeants, toujours prompts à prêcher l'« austérité salariale ». Seul un État social européen serait capable de contrecarrer l'action *désintégratrice* de l'économie monétaire. Mais M. Tietmeyer, et les néo-libéraux, ne veulent ni des États nationaux, où ils voient de simples obstacles au libre fonctionnement de l'économie, ni, a fortiori, de l'État supranational, qu'ils veulent réduire à une banque. Et il est clair que, s'ils veulent se débarrasser des États nationaux (ou du Conseil des ministres des États de la communauté) en les dépossédant de leur pouvoir, ce n'est pas, bien évidemment, pour créer un État supranational qui leur imposerait, avec une autorité accrue, les contraintes, en matière de politique sociale notamment, dont ils veulent à tout prix s'affranchir.

Ainsi, on peut être hostile à l'intégration de l'Europe fondée sur la seule monnaie unique, sans être en rien hostile à l'intégration politique de l'Europe ; et, tout au contraire, en appelant à la création d'un État européen capable de contrôler la Banque européenne et, plus précisément, capable de contrôler, en les anticipant, les effets sociaux de l'union réduite à sa dimension purement monétaire, selon la philosophie néo-libérale qui entend faire disparaître tous les vestiges de l'État (social) comme autant d'obstacles au fonctionnement harmonieux des marchés.

Il est certain que la concurrence internationale (notamment intra-européenne) est un obstacle à la mise en oeuvre *dans un seul pays* de ce que vous appelez l'«interdit de régression». Cela se voit bien en matière de réduction du temps de travail ou de relance économique (malgré le fait que la réduction de la durée du travail s'autofinance partiellement en raison de l'augmentation probable de la productivité et qu'elle permet de récupérer les sommes énormes qui sont dépensées pour soutenir le chômage). John Major l'avait bien compris qui disait cyniquement : «Vous aurez les charges sociales et nous aurons le travail». Comme l'ont compris aussi les patrons allemands qui commencent à délocaliser certaines entreprises vers la France, où la destruction des droits sociaux est relativement plus «avancée». En fait, s'il est vrai que la concurrence est, pour l'essentiel, intra-européenne et que ce sont des travailleurs français qui prennent leur travail à des travailleurs allemands, et réciproquement, – comme c'est le cas, puisque *près des trois-quarts des échanges extérieurs des pays européens s'accomplissent dans les limites de l'espace européen* –, on voit que les effets d'une diminution du temps de travail sans diminution de salaire seraient très atténués à condition qu'une telle mesure soit décidée et mise en oeuvre à l'échelle européenne.

Il en va de même des politiques de relance de la demande ou d'investissement dans les technologies nouvelles qui, impossibles ou ruineuses, comme le rabâchent les demi-habiles, aussi longtemps qu'elles sont menées dans un seul pays, deviendraient raisonnables à l'échelle du continent. Et aussi, plus généralement, de toute action orientée par les principes d'une véritable économie du bonheur, capable de prendre acte de tous les profits et de tous les coûts, matériels et symboliques, des conduites humaines et en particulier, de l'activité et de l'inactivité. Bref, à l'Europe monétaire destructrice des acquis sociaux, il est impératif d'opposer une Europe sociale fondée sur une alliance entre les travailleurs des différents pays européens capable de neutraliser les menaces que les travailleurs de chaque pays font peser, à travers le *dumping social* notamment, sur les travailleurs des autres pays.

Dans une telle perspective, et pour sortir d'un simple programme abstrait, il s'agirait d'inventer un nouvel internationalisme, tâche qui incombe, au premier chef, aux organisations syndicales. Mais l'internationalisme, outre qu'il a été discrédité, dans sa forme traditionnelle, par sa subordination à l'impérialisme soviétique, se heurte à de grands obstacles du fait que les structures syndicales sont nationales (liées à l'État et pour une part produites par lui) et séparées par des traditions historiques différentes : par exemple, en Allemagne, on a une forte autonomie des partenaires sociaux, alors qu'en France on a une tradition syndicale faible en face d'un État fort ; de même, la protection sociale varie énormément dans ses formes, depuis l'Angleterre où elle est financée par l'impôt jusqu'à l'Allemagne et la France où elle est soutenue par les cotisations. À l'échelle européenne, il n'existe à peu près rien. Ce que l'on appelle «l'Europe sociale», dont ne se préoccupent guère les «gardiens de l'euro», se réduit à quelques grands principes, avec par exemple la «charte communautaire des droits sociaux fondamentaux» qui définit un socle de droits minimaux dont la mise en oeuvre est laissée à la discrétion des États membres. Le protocole social annexé au traité de Maastricht prévoit la possibilité d'adopter des directives à la majorité dans le domaine des conditions de travail, de l'information et de la consultation des travailleurs, de l'égalité des chances entre les hommes et les femmes. Il est prévu aussi que les «partenaires sociaux» européens ont le pouvoir de négocier des accords collectifs, qui, une fois adoptés par le Conseil des ministres, ont force de loi.

Tout cela est bien beau mais où est la force sociale européenne capable d'imposer de tels accords au patronat européen ? Les instances internationales, comme la Confédération européenne des syndicats sont faibles (par exemple elles tiennent en dehors un certain nombre de syndicats comme la CGT) en face d'un patronat organisé et, paradoxalement, elles laissent presque toujours l'initiative aux institutions communautaires (et aux technocrates), même lorsqu'il s'agit de droits sociaux. Les comités d'entreprise européens pourraient, comme on l'a vu dans certains conflits au sein d'entreprises multinationales, être un recours puissant, mais, simples structures de consultation, ils se heurtent aux différences d'intérêt qui les séparent ou les opposent d'un pays à l'autre. La coordination européenne des luttes est très en retard. Les organisations syndicales ont laissé passer des occasions majeures, comme la grève allemande pour les 35 heures qui n'a pas été relayée au niveau européen ou les grandes mobilisations qui se sont opérées, en France et dans plusieurs pays européens, à la fin 95 et début 96, contre la politique d'austérité et de démantèlement des services publics. Les intellectuels, – surtout en Allemagne –, sont restés silencieux, quand ils ne se sont pas faits les relais du discours dominant.

Comment créer les bases d'un nouvel internationalisme, au niveau syndical, intellectuel et populaire ? On peut distinguer deux formes d'action possibles qui ne sont pas exclusives. Il y a d'abord la mobilisation des peuples qui suppose, en ce cas, une contribution spécifique des intellectuels dans la mesure où la démobilisation résulte pour une part de la démoralisation déterminée par l'action permanente de «propagande» des essayistes et des journalistes, propagande qui ne se perçoit pas et qui n'est pas perçue comme telle. Les bases sociales de la réussite d'une telle mobilisation existent : j'évoquerai seulement les effets des transformations des rapports au système scolaire, avec notamment l'élévation du niveau d'instruction, la dévaluation des titres scolaires et le déclassement structural qui en résulte, et aussi l'affaiblissement de la coupure entre les étudiants et les travailleurs manuels (la coupure entre les vieux et les jeunes, les titulaires et les précarisés ou prolétarisés subsiste, mais des liens réels se sont créés à travers par exemple les fils d'ouvriers éduqués touchés par la crise). Mais il y a aussi et surtout l'évolution de la structure sociale avec, contre le mythe de l'énorme classe moyenne, si fort en Allemagne, l'accroissement des inégalités sociales, la masse globale des revenus du capital s'étant accrue de 60% tandis que le revenu du travail salarié restait stable. Cette action de mobilisation internationale suppose que l'on fasse une place importante au combat par les idées (en rompant avec la tradition «ouvriériste» qui hante les mouvements sociaux, surtout en France, et qui interdit de faire leur juste place aux luttes intellectuelles dans les luttes sociales), et en particulier à la critique des représentations que produisent et propagent, à jet continu, les instances dominantes et leurs penseurs de service, fausses statistiques, mythologies concernant le plein emploi en Angleterre ou aux USA, etc.

Deuxième forme d'intervention en faveur d'un internationalisme capable de promouvoir un État social transnational, l'action sur et à travers les États nationaux qui, en l'état actuel, et faute de vision globale de l'avenir, sont incapables de gérer l'intérêt général communautaire. Il faut agir sur les États nationaux d'une part pour défendre et renforcer les acquis historiques associés à l'État national (et souvent d'autant plus importants et d'autant plus enracinés dans les habitus que l'État est plus fort, comme en France) ; d'autre part, pour obliger ces États à travailler à la création d'un État social européen cumulant les acquis sociaux les plus avancés des différents États nationaux (plus de crèches, d'écoles, d'hôpitaux et moins d'armée, de police et de prisons) et à subordonner la mise en place du marché unifié à l'élaboration des mesures sociales destinées à contrecarrer les conséquences sociales probables que la libre concurrence entraînera pour les salariés. (On peut s'inspirer ici de l'exemple de la Suède qui repousse l'entrée dans l'euro jusqu'à une renégociation replaçant au premier plan la coordination des politiques économiques et sociales). La cohésion sociale est une fin aussi importante que la parité des monnaies et l'harmonisation sociale est la condition de la réussite d'une véritable union monétaire.

Si l'on fait de l'harmonisation sociale, et de la solidarité qu'elle produit et suppose, un préalable absolu, il faut soumettre d'emblée à la négociation, avec le même souci de rigueur que l'on réserve jusqu'ici aux indices économiques (comme les fameux 3% du traité de Maastricht), un certain nombre d'objectifs communs : la définition de *salaires minimaux* (différenciés par zones pour tenir compte des disparités régionales) ; l'élaboration de mesures *contre la corruption et la fraude fiscale* qui réduisent la contribution des activités financières aux charges publiques, entraînant ainsi indirectement une taxation excessive du travail, et *contre le dumping social* entre acti-

vités directement concurrentes; la rédaction d'un *droit
social commun* qui accepterait, à titre de transition une
différenciation par zones mais viserait à intégrer les politiques sociales en s'unifiant sur les points où il existe et en
se développant là où il n'existe pas : avec par exemple
l'instauration d'un revenu minimal pour les personnes
sans emploi rémunéré et sans autres ressources, la diminution des charges qui pèsent sur le travail, le développement de droits sociaux comme la formation, l'élaboration
d'un droit à l'emploi, au logement et l'invention d'une
politique extérieure en matière sociale visant à diffuser et
à généraliser les normes sociales européennes; la conception et la mise en oeuvre d'une *politique commune d'investissement* conforme à l'intérêt général : à l'opposé des
stratégies d'investissement résultant de l'autonomisation
d'activités financières purement spéculatives et/ou orien-
tées par des considérations de profit à court terme, ou
fondées sur des présupposés totalement contraires à l'intérêt général, comme la croyance que les réductions d'emplois sont un gage de bonne gestion et une garantie de
rentabilité, il s'agirait de privilégier les stratégies visant à
assurer la sauvegarde des ressources non-renouvelables et
l'environnement, le développement des réseaux transeu-
ropéens de transport et d'énergie, l'extension du logement social et la rénovation urbaine (avec notamment
des transports urbains écologiques), l'investissement
dans la recherche-développement en matière de santé et
de protection de l'environnement, le financement d'activités nouvelles, en apparence plus risquées, et prenant
des formes inconnues du monde financier (petites entreprises, travail indépendant)[1].

Ce qui peut apparaître comme un simple catalogue de
mesures disparates s'inspire en fait de la volonté de
rompre avec le fatalisme de la pensée néo-libérale, de

«défataliser» en politisant, en substituant à l'économie naturalisée du néo-libéralisme, une économie du bonheur qui, fondée sur les initiatives et la volonté humaines, fait sa place dans ses calculs aux coûts de souffrance et aux profits d'accomplissement de soi qu'ignore le culte strictement économiste de la productivité et de la rentabilité.

L'avenir de l'Europe dépend beaucoup du poids des forces progressistes en Allemagne (syndicats, SPD, Verts) et de leur volonté et de leur capacité de s'opposer à la politique de l'euro «fort» que défendent la Bundesbank et le gouvernement allemand. Il dépendra beaucoup de leur capacité d'animer et de relayer le mouvement pour une réorientation de la politique européenne qui s'exprime dès aujourd'hui dans plusieurs pays, notamment en France. Bref, contre tous les prophètes de malheur qui veulent vous convaincre que votre destin est entre les mains de puissances transcendantes, indépendantes et indifférentes, comme les «marchés financiers» ou les mécanismes de la «mondialisation», je veux affirmer, avec l'espoir de vous convaincre, que l'avenir, votre avenir, qui est aussi le nôtre, celui de tous les Européens, dépend beaucoup de vous, en tant qu'Allemands et en tant que syndicalistes.

Francfort, juin 1997

---

1 - J'emprunte un certain nombre de ces suggestions à Yves Salesse, *Propositions pour une autre Europe, Construire Babel*, Paris, Éditions du Félin, 1997.

La télévision, le journalisme
et la politique*

Comment expliquer la violence extrême des réactions que *Sur la télévision* a suscitées chez les journalistes français les plus en vue? L'indignation vertueuse qu'ils ont manifestée est sans doute imputable, pour une part, à *l'effet de la transcription* qui fait disparaître, inévitablement, l'accompagnement non écrit de la parole, le ton, les gestes, la mimique, les sourires, c'est-à-dire tout ce qui, pour un spectateur de bonne foi, marque d'emblée la différence entre un discours animé par le souci de faire comprendre et de convaincre et le pamphlet polémique que, malgré tous mes démentis anticipés, la plupart d'entre eux ont voulu y voir. Mais elle s'explique surtout par certaines des propriétés les plus typiques de la vision journalistique comme l'inclination à identifier le nouveau avec ce que l'on appelle des « révélations » ou la propension à privilégier l'aspect le plus directement visible du monde social, c'est-à-dire les individus, leurs faits et surtout leurs méfaits, dans une perspective qui est souvent celle de la dénonciation et du procès, au détriment des structures et des mécanismes invisibles (ici, ceux du champ journalistique) qui orientent les actions et les pensées et dont la connaissance favorise plutôt l'indulgence compréhensive que la condamnation indignée (primat du visible qui peut conduire à une forme de censure lorsqu'on ne passe un sujet que si on a des images, et des images spectaculaires). Ou encore l'inclination à s'intéresser aux « conclusions » (supposées) plus

---

* Ce texte a été publié en postface à l'édition anglaise de *Sur la télévision* (P. Bourdieu, *Sur la télévision*, Paris, Liber-Raisons d'agir, 1996).

qu'à la démarche par laquelle on y arrive. J'ai ainsi le sou-
venir de ce journaliste qui, lors de la sortie de mon livre,
La Noblesse d'État, bilan de dix années de recherches, me
proposait de participer à un débat télévisé sur les Grandes
écoles dans lequel le président de l'Amicale des anciens
élèves parlerait « pour » tandis que je parlerais « contre » et
qui ne comprenait pas que je puisse refuser. De la même
façon, les « grandes plumes » qui s'en sont prises à mon
livre *Sur la télévision* ont purement et simplement mis
entre parenthèses la méthode qui s'y trouve en oeuvre (et
en particulier l'analyse du monde journalistique en tant
que champ), le réduisant ainsi, sans même le savoir, à une
série de prises de position banales, entrelardées de
quelques éclats polémiques.

C'est pourtant cette méthode que je voudrais à nouveau
illustrer, en essayant de montrer, au risque de nouveaux
malentendus, comment le champ journalistique produit
et impose une vision tout à fait particulière du champ
politique qui trouve son principe dans la structure du
champ journalistique et dans les intérêts spécifiques des
journalistes qui s'y engendrent.

Dans un univers qui, comme le monde du journalisme,
et surtout de la télévision, est dominé par la crainte
panique d'être ennuyeux et par le souci de divertir à tout
prix, la politique est vouée à apparaître comme un sujet
ingrat que l'on exclut autant que possible des heures de
grande écoute, un spectacle peu excitant, voire déprimant,
et difficile à traiter, qu'il faut rendre intéressant à tout
prix. D'où la tendance qui s'observe partout, aux États-
Unis autant qu'en Europe, à sacrifier de plus en plus l'édi-
torialiste et le reporter-enquêteur à l'animateur-amuseur,
l'information, analyse, entretien approfondi, discussion
de spécialistes, ou reportage, au pur divertissement, et en
particulier aux bavardages insignifiants des *talk shows*

entre interlocuteurs attitrés et interchangeables (dont, crime impardonnable, j'ai cité quelques uns nommément, à titre d'exemple). Pour comprendre véritablement ce qui se dit et surtout ce qui ne peut pas se dire dans ces échanges fictifs, il faudrait analyser en détail les conditions de sélection de ceux que l'on appelle aux États-Unis des *panelists* : être toujours disponibles, c'est-à-dire toujours prêts à venir participer, mais aussi à jouer le jeu, en acceptant de parler de tout (c'est la définition même de celui qu'en Italie on appelle *tuttologo*) et de répondre à toutes les questions, même les plus saugrenues ou les plus choquantes, que les journalistes se posent ; être prêts à tout, c'est-à-dire à toutes les concessions (sur le sujet, sur les autres participants, etc.), à tous les compromis et toutes les compromissions pour en être et pour s'assurer ainsi les profits directs et indirects de la notoriété « médiatique », prestige au sein des organes de presse, invitations à donner des conférences lucratives, etc. ; veiller, notamment dans les entretiens préalables que certains producteurs mènent, aux États-Unis, et de plus en plus en Europe, pour choisir les *panelists*, à formuler des prises de position simples en termes clairs et brillants et en évitant de s'encombrer de savoirs complexes (selon la maxime : « *The less you know, the better off you are* »).

Mais les journalistes, qui invoquent les attentes du public pour justifier cette politique de la simplification démagogique (en tout opposée à l'intention démocratique d'informer, ou d'éduquer en divertissant), ne font que projeter sur lui leurs propres inclinations, leur propre vision ; notamment lorsque la peur d'ennuyer, donc de faire baisser l'audimat, les porte à donner la priorité au combat sur le débat, à la polémique sur la dialectique, et à mettre tout en oeuvre pour privilégier l'affrontement entre les personnes (les hommes politiques notamment) au détriment de la confrontation entre leurs arguments, c'est-à-dire de ce qui fait l'enjeu même du débat, déficit budgétaire, baisse des impôts ou dette extérieure. Du fait que l'essentiel de leur compétence consiste dans une connaissance du monde politique fondée sur l'intimité des contacts et des confidences (voire des rumeurs et des ragots) plus que sur l'objectivité d'une observation et d'une enquête, ils sont en effet enclins à tout ramener sur un terrain où il sont experts, s'intéressant au jeu et aux joueurs plus qu'aux enjeux, aux questions de pure tactique politique plus qu'à la substance des débats, à l'effet politique des discours dans la logique du champ politique (celle des coalitions, des alliances ou des conflits entre les personnes) plus qu'à leur contenu (lorsqu'ils ne vont pas jusqu'à inventer et à imposer à la discussion de purs artefacts, comme, lors de la dernière élection en France, la question de savoir si le débat entre la gauche et la droite devait être mené à deux – entre Jospin, leader de l'opposition, et Juppé, premier ministre de droite, – ou à quatre – entre Jospin et Hue, son allié communiste, d'un côté, et Juppé et Léotard, son allié centriste, de l'autre –, intervention qui, sous les apparences de la neutralité, était une imposition politique, propre à favoriser les partis conservateurs, en faisant apparaître les divergences éventuelles entre les partis de gauche). Du fait de leur position ambiguë dans le monde politique, où ils sont des acteurs très influents sans être pour autant des membres à part entière et où ils sont en mesure d'offrir aux hommes politiques des services symboliques indispensables (qu'ils ne peuvent d'ailleurs s'assurer à eux-mêmes, sauf, aujourd'hui, collectivement, dans le domaine littéraire, où ils font jouer à plein le jeu des «renvois d'ascenseur»), ils sont enclins au point de vue de Thersite et à une forme spontanée de la philosophie du soupçon qui les porte à

chercher les causes des prises de position les plus désinté-
ressées et des convictions les plus sincères dans les intérêts
associés à des positions dans le champ politique (comme
les rivalités au sein d'un parti ou d'un «courant»).

Tout cela les conduit à produire et à proposer, soit dans
les attendus de leurs commentaires politiques, soit dans les
questions de leurs interviews, une *vision cynique* du monde
politique, sorte d'arène livrée aux manoeuvres d'ambitieux
sans convictions, guidés par les intérêts liés à la compétition qui les oppose. (Il est vrai, soit dit en passant, qu'ils y
sont encouragés par l'action des conseillers et des consul-
tants politiques, intermédiaires chargés d'assister les
hommes politiques dans cette sorte de marketing politique
délibérément organisé sans être nécessairement cynique
qui est de plus en plus nécessaire pour réussir politiquement en s'ajustant aux exigences du champ journalistique, et de ses institutions les plus typiques, comme les
grandes émissions politiques télévisées, «Clubs de la presse» ou autres, véritables «*caucus*» qui contribuent de plus
en plus à faire les hommes politiques et leur réputation.)
Cette attention exclusive au «microcosme» politique, aux
faits qui s'y déroulent et aux effets qui lui sont imputables
tend à produire une coupure avec le point de vue du
public ou du moins de ses fractions les plus soucieuses des
conséquences réelles que les prises de position politiques
peuvent avoir sur leur existence et sur le monde social.
Coupure qui est considérablement renforcée et redoublée,
chez les stars de télévision notamment, par la distance
sociale associée au privilège économique et social. On sait
en effet que, depuis les années soixante, aux États-Unis et
dans la plupart des pays européens, les vedettes médiatiques ajoutent à des salaires extrêmement élevés – de
l'ordre de 100 000 dollars et plus en Europe, et de plusieurs millions de dollars du côté américain[1] – les cachets

souvent exorbitants associés à la participation à des *talk shows*, à des tournées de conférences, à des collaborations régulières à des journaux, à des « ménages », notamment à l'occasion de réunions de groupes professionnels. C'est ainsi que la dispersion de la structure de la distribution du pouvoir et des privilèges dans le champ journalistique ne fait que croître, à mesure que, à côté des petits entrepreneurs capitalistes qui doivent conserver et augmenter leur capital symbolique par une politique de présence permanente à l'antenne (nécessaire pour maintenir leur cote sur le marché des conférences et des « ménages ») se développe un vaste sous-prolétariat condamné par la précarisation à une forme d'autocensure[2].

À ces effets s'ajoutent ceux de la concurrence au sein du champ journalistique que j'ai déjà évoqués, comme l'obsession du *scoop* et l'inclination à privilégier sans discussion l'information la plus nouvelle et la plus difficile d'accès, ou la surenchère qu'encourage la compétition pour l'interprétation la plus originale et la plus paradoxale, c'est-à-dire, bien souvent, la plus cynique, ou encore, les jeux de la prédiction amnésique à propos du cours des affaires, c'est-à-dire les pronostics et les diagnostics à la fois peu coûteux (proches des paris sportifs) et assurés de l'impunité la plus totale, parce que protégés par l'oubli qu'engendrent la discontinuité à peu près parfaite de la chronique journalistique et la rotation rapide des conformismes successifs.

Tous ces mécanismes concourent à produire un effet global de dépolitisation ou, plus exactement, de désenchantement de la politique. La recherche du divertissement incline, sans qu'il soit besoin de le vouloir explicitement, à détourner l'attention vers un spectacle (ou un scandale) toutes les fois que la vie politique fait surgir une question importante, mais d'apparence ennuyeuse, ou, plus subtilement, à ramener ce que l'on appelle «l'actualité» à une rhapsodie d'événements divertissants, souvent situés, comme dans le cas exemplaire du procès O.J. Simpson, à mi-chemin entre le fait divers et le *show*, à une succession sans queue ni tête d'événements sans proportion, juxtaposés par les hasards de la coïncidence chronologique (un tremblement de terre en Turquie et la présentation d'un plan de restrictions budgétaires, une victoire sportive et un procès à sensation), que l'on réduit à l'absurde en les réduisant à ce qui se donne à voir dans l'instant, dans l'actuel, et en les coupant de tous leurs antécédents ou leurs conséquents.

L'absence d'intérêt pour les changements insensibles, c'est-à-dire pour tous les processus qui, à la manière de la dérive des continents, restent inaperçus et imperceptibles dans l'instant, et ne révèlent pleinement leurs effets qu'avec le temps, vient redoubler les effets de *l'amnésie structurale* que favorisent la logique de la pensée au jour le jour et la concurrence qui impose l'identification de l'important et du nouveau (le *scoop* et les «révélations») pour incliner les journalistes à produire une représentation instantanéiste et discontinuiste du monde. Faute de temps, et surtout d'intérêt et d'information préalable (leur travail de documentation se limitant le plus souvent à la lecture des articles de presse consacrés au même sujet), ils ne peuvent le plus souvent replacer les événements (par exemple un acte de violence dans une école) dans le système de relations où ils sont insérés (comme l'état de la structure familiale, elle-même liée au marché du travail, lui-même lié à la politique en matière d'impôts, etc.) et contribuer ainsi à les arracher à leur apparente absurdité. Sans doute les journalistes sont-ils encouragés en cela par l'inclination des hommes politiques, et en particulier des responsables gouvernementaux, qu'en retour ils encouragent, à mettre l'accent, avec les «effets d'annonce», sur les entreprises à court terme, au détriment des actions sans effets immédiatement visibles.

Cette vision déshistoricisée et déshistoricisante, atomisée et atomisante, trouve sa réalisation paradigmatique dans l'image que donnent du monde les actualités télévisées, succession d'histoires en apparence absurdes qui finissent par toutes se ressembler, défilés ininterrompus de peuples misérables, suites d'événements qui, apparus sans explication, disparaîtront sans solution, aujourd'hui le Zaïre, hier le Biafra, et demain le Congo, et qui, ainsi dépouillés de toute nécessité politique, ne peuvent au mieux susciter qu'un vague intérêt humanitaire. Ces tragédies sans liens qui se succèdent sans mise en perspective historique ne se distinguent pas vraiment des catastrophes naturelles, tornades, incendies de forêt, inondations, qui sont elles aussi très présentes dans «l'actualité», parce que journalistiquement traditionnelles, pour ne pas dire rituelles, et surtout spectaculaires, et peu coûteuses à couvrir, et dont les victimes ne sont pas mieux faites pour susciter la solidarité ou la révolte proprement politiques que les déraillements de trains et autres accidents.

Ainsi, les contraintes de la concurrence se conjuguent avec les routines professionnelles pour conduire les télévisions à produire l'image d'un monde plein de violences et de crimes, de guerres ethniques et de haines racistes, et à proposer à la contemplation quotidienne un environnement de menaces, incompréhensible et inquiétant, dont il faut avant tout se retirer et se protéger, une succession absurde de désastres auxquels on ne comprend rien et sur lesquels on ne peut rien. Ainsi s'insinue peu à peu une philosophie pessimiste de l'histoire qui encourage à la retraite et à la résignation plus qu'à la révolte et à l'indignation, qui, loin de mobiliser et de politiser, ne peut que contribuer à élever les craintes xénophobes, de même que l'illusion que le crime et la violence ne cessent de croître favorise les anxiétés et les phobies de la vision sécuritaire. Le sentiment que le monde n'offre pas de prise au commun des mortels se conjugue avec l'impression que, un peu à la manière du sport de haut niveau qui suscite une coupure semblable entre les pratiquants et les spectateurs, le jeu politique est une affaire de professionnels, pour encourager, surtout chez les moins politisés, un désengagement fataliste évidemment favorable à la conservation de l'ordre établi.

Il faut en effet avoir chevillée au corps la foi dans les capacités de «résistance» du peuple (capacités indéniables mais limitées) pour supposer, avec une certaine «critique culturelle» dite «post-moderne», que le cynisme professionnel des producteurs de télévision, de plus en plus proches des publicitaires dans leurs conditions de travail, leurs objectifs (la recherche de l'audience maximale, donc du «petit plus» qui permet de «mieux vendre») et leur mode de pensée, pourra trouver sa limite ou son antidote dans le cynisme actif des spectateurs (illustré notamment par le *zapping*) : tenir pour universelle, avec certains herméneutes «post-modernes», l'aptitude à entrer dans la surenchère réflexive d'une «lecture» critique au troisième ou quatrième degré des messages «ironiques et métatextuels» qu'engendre le cynisme manipulateur des producteurs de télévision et des publicitaires, c'est tomber en effet dans une des formes les plus perverses de l'illusion scolastique en sa forme populiste.

Paris, juin 1997

---

1 - Cf. James Fallows, *Breaking the News. How Media Undermine American Democracy*, New York, Vintage Books, 1997.

2 - Cf. Patrick Champagne, «Le journalisme entre précarité et concurrence», *Liber*, 29, décembre 1996, pp.6-7.

Retour sur la télévision*

Q. - Dans Sur la télévision *vous dites qu'il est nécessaire de réveiller la conscience des professionnels sur la structure invisible de la presse. Vous croyez que les professionnels et le public vivent encore dans cette cécité vis-à-vis des mécanismes des médias dans un monde extrêmement médiatisé? Ou y a-t-il une complicité entre eux?*

P.B. - Je ne pense pas que les professionnels soient aveugles. Ils vivent, je crois, dans un état de double conscience : une vision pratique qui les porte à tirer parti au maximum, parfois par cynisme, parfois sans le savoir, des possibilités que leur offre l'instrument médiatique dont ils disposent (je parle des plus *puissants* d'entre eux) ; une vision théorique, moralisante et pleine d'indulgence pour eux-mêmes, qui les amène à dénier publiquement la vérité de ce qu'ils font, à la masquer et même à se la masquer. Deux attestations : les réactions à mon petit livre, que les «grandes plumes» ont unanimement et violemment condamné tout en disant à qui mieux mieux qu'il n'apportait rien qu'on ne sût déjà (selon une logique typiquement freudienne que j'avais déjà pu observer à propos de mes livres sur l'éducation) ; les commentaires pontifiants et hypocrites qu'ils ont produits à propos du rôle des journalistes dans la mort de Lady Diana tout en laissant exploiter au-delà des limites de la décence le filon journalistique que constituait ce non-événement. Cette double conscience – très commune chez les puissants : on disait déjà que les augures romains ne pouvaient se regar-

---

* Entretien avec P.R. Pires, publié dans *O Globo* (Rio de Janeiro) le 4 octobre 1997, après la parution en brésilien de *Sur la télévision*.

der sans rire – fait qu'ils peuvent à la fois dénoncer comme dénonciation scandaleuse ou pamphlet venimeux la description objective de leur pratique et en énoncer explicitement l'équivalent, soit dans des échanges privés ou même à l'intention du sociologue qui mène l'enquête – j'en donne des exemples dans mon livre, à propos des «ménages» notamment –, soit même dans des déclarations publiques. Ainsi Thomas Ferenczi écrit dans *Le Monde* du 7-8 septembre, en réponse aux critiques des lecteurs à propos du traitement accordé par *Le Monde* à l'affaire Lady Diana, que, effectivement, «*Le Monde* a changé» et fait de plus en plus de place à ce qu'il appelle pudiquement «les faits de société» – autant de vérités dont il ne supportait pas, trois mois plus tôt, l'énonciation. Au moment où le glissement, *imposé par la télévision*, crève les yeux, on l'assume, sur le ton moralisant qui convient, comme une manière de s'adapter à la modernité et d'«élargir sa curiosité»! [Ajout de janvier 1998 : Et le «médiateur» spécialement mandaté pour donner le change à des lecteurs conscients du poids sans cesse croissant des préoccupations commerciales dans les choix rédactionnels déploiera ainsi chaque semaine toute sa rhétorique pour essayer de faire croire qu'on peut être juge et partie en ressassant, inlassablement, les mêmes arguments tautologiques. A ceux qui, à propos de l'interview, par un pâle écrivain, d'un chanteur populaire finissant, reprochent au *Monde* de dériver vers «une forme de démagogie», il ne sait opposer, dans *Le Monde* du 18-19 janvier 1998, que la «volonté d'ouverture» de son journal : «ces sujets, et d'autres, reçoivent, dit-il, une large couverture parce qu'ils apportent un éclairage utile sur le monde qui nous entoure et parce qu'ils intéressent, pour cette raison même, une grande partie de nos lecteurs»; à ceux qui, la semaine suivante, condamnent le reportage complaisant d'un intellectuel-journaliste sur la situation en Algérie, trahison de tous les idéaux critiques de la tradition de l'intellectuel, il répond, dans *Le Monde* du 25-26 janvier 1998, que le journaliste n'a pas à choisir entre les intellectuels. Les textes que produit ainsi, semaine après semaine, le défenseur de la ligne du journal, choisi sans doute pour son extrême prudence, sont la plus grande imprudence de ce journal : l'inconscient le plus profond du journalisme s'y dévoile peu à peu, au fil des défis lancés par les lecteurs, dans une sorte de longue séance hebdomadaire d'analyse.] Double conscience donc chez les professionnels dominants, dans la *Nomenklatura* des grands journalistes liés par des intérêts communs et des complicités de tous ordres[1]. Chez les journalistes « de base », les tâcherons du reportage, les simples pigistes, tous les obscurs condamnés à la précarité qui font ce qu'il y a de plus authentiquement journalistique dans le journalisme, la lucidité est évidemment plus grande et s'exprime souvent de manière très directe. C'est entre autres choses grâce à leurs témoignages que l'on peut accéder à une certaine connaissance du monde de la télévision[2].

Q. - Vous analysez la formation de ce qui est appelé « champ journalistique », mais votre point de vue est celui du « champ sociologique ». Vous croyez qu'il y a une incompatibilité entre ces deux champs ? La sociologie montre les « vérités » et les médias les « mensonges » ?

P.B. - Vous introduisez une dichotomie très caractéristique de la vision journalistique, qui, – c'est une de ses propriétés les plus typiques –, est volontiers *manichéenne*. Il va de soi qu'il arrive que les journalistes produisent de la vérité et les sociologues du mensonge. Dans un champ, il y a de tout, par définition ! Mais sans doute dans des proportions différentes et avec des probabilités différentes... Cela dit, le premier travail du sociologue consiste à faire voler en éclats cette manière de poser les questions. Et je dis dans mon petit livre, à plusieurs reprises, que les sociologues peuvent fournir aux journalistes lucides et critiques (il y en a beaucoup, mais pas nécessairement aux postes de commande des télévisions, des radios et des journaux) des instruments de connaissance et de compréhension, éventuellement aussi d'action, qui leur permettraient de travailler avec quelque efficacité à maîtriser les forces économiques et sociales qui pèsent sur eux, notamment en s'alliant avec des chercheurs en qui ils voient souvent des ennemis. Je m'efforce actuellement (notamment à travers la revue internationale *Liber*), de créer de telles connexions internationales entre les journalistes et les chercheurs et de développer des forces de *résistance* contre les forces d'oppression qui pèsent sur le journalisme et que le journalisme fait peser sur toute la production culturelle et, par là, sur toute la société.

Q. - La télévision est identifiée comme une forme d'oppression symbolique. Quelle est la possibilité démocratique de la télévision et des médias?
P.B. - Le décalage est immense entre l'image que les responsables des médias ont et donnent de ces médias et la vérité de leur action et de leur influence. Les médias sont, dans l'ensemble, un facteur de dépolitisation qui agit évidemment en priorité sur les fractions les plus dépolitisées du public, sur les femmes plus que sur les hommes, sur les moins instruits plus que sur les plus instruits, sur les pauvres plus que sur les riches. Ceci peut scandaliser, mais on le sait parfaitement par l'analyse statistique de la probabilité de formuler une réponse articulée à une question politique ou de s'abstenir (je développe longuement les conséquences de ce fait, en matière politique notamment,

dans mon dernier livre, *Méditations pascaliennes*). La télévision (beaucoup plus que les journaux) propose une vision de plus en plus dépolitisée, aseptisée, incolore, du monde et elle entraîne de plus en plus les journaux dans son glissement vers la démagogie et la soumission aux contraintes commerciales. L'affaire Lady Diana est une illustration parfaite de tout ce que j'ai dit dans mon livre, une sorte de passage aux extrêmes. On a tout à la fois : le fait divers qui fait diversion ; l'effet téléthon, c'est-à-dire la défense sans péril des causes humanitaires vagues et oecuméniques, et surtout parfaitement apolitiques. On a le sentiment que, à l'occasion de cette affaire qui venait juste après la fête papale de la jeunesse à Paris et juste avant la mort de Mère Teresa, les derniers verrous ont sauté. (Mère Teresa qui n'était pas, que je sache, une progressiste en matière d'avortement et de libération des femmes, convenait parfaitement à ce monde gouverné par des banquiers sans états d'âmes, qui ne voient aucun obstacle à ce que des pieux défenseurs de l'humanitaire viennent panser les plaies, à leurs yeux inévitables, qu'ils ont contribué à ouvrir). C'est ainsi que, *quinze jours après l'accident, Le Monde* a pu faire sa une sur l'état de l'enquête à propos de cet accident, tandis que, au journal télévisé, les massacres en Algérie et l'évolution des rapports Israël-Palestine, se voyaient réduits à quelques minutes en fin de journal. Par parenthèse, vous disiez tout à l'heure : aux journalistes le mensonge, aux sociologues la vérité ; je peux vous dire en tant que sociologue, qui connaît assez bien l'Algérie, mon admiration pour le journal français *La Croix*, qui vient de faire un dossier extrêmement précis, rigoureux et courageux, sur les responsables réels des massacres en Algérie. La question que je me pose – et jusqu'à présent la réponse est négative – est de savoir si les autres journaux, et en particulier ceux qui ont une grande prétention au sérieux, reprendront ces analyses...

Q. - En reprenant la célèbre dichotomie proposée par Umberto Eco dans les années 60, peut-on dire que vous êtes un «apocalyptique» contre des «intégrés»?

P.B. - On peut dire ça. Il y a beaucoup d'«intégrés», effectivement. Et la force du nouvel ordre dominant est qu'il a su trouver les moyens spécifiques d'«intégrer» (en certains cas on pourrait dire d'acheter, en d'autre cas, de séduire) une fraction de plus en plus grande des intellectuels, et cela dans le monde entier. Ces «intégrés» continuent souvent à se vivre comme critiques (ou, tout simplement, de gauche), selon le modèle ancien. Et cela contribue à donner une très grande efficacité symbolique à leur action en faveur du ralliement à l'ordre établi.

Q. - Quelle est votre opinion sur le rôle des médias dans l'affaire Lady Di? Confirme-t-elle votre hypothèse sur le fonctionnement des médias?

P.B. - C'est une illustration parfaite, presque inespérée dans le pire, de ce que j'annonçais. Les familles princières et royales de Monaco, d'Angleterre, et d'ailleurs vont être conservées comme des sortes de réservoirs inépuisables de sujets de *soap operas* et de *telenovelas*. En tout cas, il est clair que le grand *happening* auquel la mort de Lady Diana a donné lieu s'inscrit bien dans la série des spectacles qui font l'enchantement de la petite bourgeoisie d'Angleterre et d'ailleurs, grandes comédies musicales du type de *Evita* ou *Jésus Christ superstar*, nés du mariage du mélodrame et des effets spéciaux de haute technologie, feuilletons télévisés larmoyants, films sentimentaux, romans de gare à grand tirage, musique pop un peu facile, divertissements dits familiaux, bref tous ces produits de l'industrie culturelle que déversent à longueur de journée des télévisions et des radios conformistes et cyniques et qui réunissent le moralisme larmoyant des Églises et le conservatisme esthétique du divertissement bourgeois.

Q. - Quel est le rôle possible des intellectuels dans le monde médiatisé?

P.B. - Il n'est pas certain qu'ils puissent jouer le grand rôle positif, celui du prophète inspiré, qu'ils ont tendance à s'attribuer parfois, dans les périodes d'euphorie. Ce ne serait déjà pas si mal s'ils savaient s'abstenir d'entrer dans la complicité et dans la collaboration avec les forces qui menacent de détruire les bases mêmes de leur existence et de leur liberté, c'est-à-dire les forces du marché. Il a fallu plusieurs siècles, comme je l'ai montré dans mon livre, *Les Règles de l'art*, pour que les juristes, les artistes, les écrivains, les savants acquièrent leur autonomie par rapport aux pouvoirs, politique, religieux, économique et puissent imposer leurs normes propres, leurs valeurs spécifiques, de vérité notamment, dans leur propre univers, leur microcosme, et parfois, avec un succès variable, dans le monde social (avec Zola lors de l'affaire Dreyfus, Sartre et les 121 lors de la guerre d'Algérie, etc.). Ces conquêtes de la liberté sont partout menacées, et pas seulement par les colonels, les dictateurs et les mafias; menacées par des forces plus insidieuses, celles du marché, mais transfigurées, réincarnées dans des figures propres à séduire les uns ou les autres : pour certains, ce sera la figure de l'économiste armé de formalisme mathématique, qui décrit l'évolution de l'économie «mondialisée» comme un destin; pour d'autres, la figure de la star internationale du rock, du pop ou du rap, porteuse d'un style de vie à la fois chic et facile (pour la première fois dans l'histoire, les séductions du snobisme se sont attachées à des pratiques et des produits typiques de la consommation de masse comme le *jean*, le

tee-shirt et le coca-cola); pour d'autres encore un «radica-
lisme de campus» baptisé post-moderne, et propre à
séduire par la célébration faussement révolutionnaire du
métissage des cultures, etc. S'il y a un domaine où la
fameuse «mondialisation», que tous les intellectuels
«intégrés» ont à la bouche, est une réalité, c'est bien celui
de la production culturelle de masse, télévision (je pense
particulièrement aux *telenovelas* dont l'Amérique latine
s'est fait une spécialité et qui diffuse une vision du monde
«ladydiesque»), cinéma et presse pour grand public, ou
même, chose beaucoup plus grave, «pensée sociale» pour
quotidiens et hebdomadaires, avec des thèmes ou des
mots à circulation planétaire comme «la fin de l'histoire»,
le «post-modernisme» ou… la «globalisation». Cette
«mondialisation» du pire, les artistes, les écrivains et les
chercheurs (spécialement les sociologues) sont en mesure
et en devoir d'en combattre les effets les plus funestes
pour la culture et la démocratie.

                                        Paris, septembre 1997

---

1 - Sur ces complicités, voir S. Halimi, *Les nouveaux chiens de garde*,
Paris, Liber-Raisons d'agir, 1997.
2 - On pourra voir par exemple les excellentes analyses présentées
in A. Accardo, G. Abou, G. Balbastre, D. Marine, *Journalistes
au quotidien. Outils pour une socioanalyse des pratiques journalistiques*,
Bordeaux, Le Mascaret, 1995.

Ces « responsables » qui nous déclarent irresponsables*

Nous en avons assez des tergiversations et des atermoiements de tous ces « responsables » élus par nous qui nous déclarent « irresponsables » lorsque nous leur rappelons les promesses qu'ils nous ont faites. Nous en avons assez du racisme d'État qu'ils autorisent. Aujourd'hui même, un de mes amis, Français d'origine algérienne, me racontait l'histoire de sa fille, venue pour se réinscrire à la fac, à qui une employée de l'Université demandait, le plus naturellement du monde, de présenter ses papiers, son passeport, au seul vu de son nom à consonance arabe. Pour en finir une fois pour toutes avec ces brimades et ces humiliations, impensables il y a quelques années, il faut marquer une rupture claire avec une législation hypocrite qui n'est qu'une immense concession à la xénophobie du Front national. Abroger les lois Pasqua et Debré évidemment, mais surtout en finir avec tous les propos hypocrites de tous les politiciens qui, à un moment où l'on revient sur les compromissions de la bureaucratie française dans l'extermination des juifs, donnent pratiquement licence à tous ceux qui, dans la bureaucratie, sont en mesure d'exprimer leurs pulsions les plus bêtement xénophobes, comme l'employée d'université que j'évoquais à l'instant. Il ne sert à rien de s'engager dans de grandes discussions juridiques sur les mérites comparés de telle ou telle loi. Il s'agit d'abolir purement et simplement une loi qui, par

---

* Texte publié dans *Les Inrockuptibles*, le 8 octobre 1997, à propos des projets de lois Guigou et Chevènement sur la nationalité française et sur l'entrée et le séjour des étrangers en France.

son existence même, légitime les pratiques discrimina-
toires des fonctionnaires, petits ou grands, en contribuant
à jeter une suspicion globale sur les étrangers – et pas
n'importe lesquels évidemment. Qu'est-ce qu'un citoyen
qui doit faire la preuve, à chaque instant, de sa citoyenneté? (Nombre de parents français d'origine algérienne se
demandent quel prénom donner à leurs enfants pour leur
éviter plus tard les tracasseries. Et la fonctionnaire qui
harcelait la fille de mon ami s'étonnait qu'elle s'appelle
Mélanie...).

Je dis qu'une loi est raciste qui autorise un fonctionnaire quelconque à mettre en question la citoyenneté d'un
citoyen au seul vu de son visage ou de son nom de famille, comme c'est le cas, mille fois par jour aujourd'hui. Il
est regrettable qu'il n'y ait pas, dans le gouvernement hautement policé qui nous a été offert par M. Jospin, un seul
porteur de l'un ou l'autre de ces stigmates désignés à l'arbitraire irréprochable des fonctionnaires de l'État français,
un visage noir ou un nom à consonance arabe, pour rappeler à M. Chevènement la distinction entre le droit et les
moeurs, et qu'il y a des dispositions du droit qui autorisent les pires des moeurs. Je livre tout ceci à la réflexion de
ceux qui, silencieux ou indifférents aujourd'hui, vien-
dront, dans trente ans, exprimer leur «repentance», en un
temps où les jeunes Français d'origine algérienne seront
prénommés Kelkal.

Paris, octobre 1997

La précarité est
aujourd'hui partout*

Le travail collectif de réflexion qui s'est fait ici pendant
deux jours est tout à fait original parce qu'il a associé des
gens qui n'ont guère l'occasion de se rencontrer et de se
confronter, des responsables administratifs et politiques,
des syndicalistes, des chercheurs en économie et en sociologie, des travailleurs, souvent précaires, et des chômeurs.
Je voudrais évoquer quelques uns des problèmes qui ont
été discutés. Le premier, qui est exclu, tacitement, des
réunions savantes : que sort-il, en définitive de tous ces
débats ou, plus brutalement, à quoi servent toutes ces discussions intellectuelles ? Paradoxalement, ce sont les chercheurs qui s'inquiètent le plus de cette question ou que
cette question inquiète le plus (je pense notamment aux
économistes, ici présents, donc peu représentatifs d'une
profession dans laquelle sont très rares ceux qui s'inquiètent de la réalité sociale ou même de la réalité tout court)
qui se la voient poser directement (et c'est sans doute très
bien ainsi). À la fois brutale et naïve, elle rappelle les
chercheurs à leurs responsabilités, qui peuvent être très
grandes, au moins lorsque, par leur silence ou leur
complicité active, ils contribuent au maintien de l'ordre
symbolique qui est la condition du fonctionnement de
l'ordre économique.

Il est apparu clairement que la précarité est aujourd'hui
partout. Dans le secteur privé, mais aussi dans le secteur
public, qui a multiplié les positions temporaires et intéri-

---

* Intervention lors des Rencontres européennes contre
la précarité, Grenoble, 12-13 décembre 1997.

maires, dans les entreprises industrielles, mais aussi dans
les institutions de production et de diffusion culturelle,
éducation, journalisme, médias, etc., où elle produit des
effets toujours à peu près identiques, qui deviennent particulièrement visibles dans le cas extrême des chômeurs :
la déstructuration de l'existence, privée entre autres choses
de ses structures temporelles, et la dégradation de tout le
rapport au monde, au temps, à l'espace, qui s'ensuit. La
précarité affecte profondément celui ou celle qui la subit ;
en rendant tout l'avenir incertain, elle interdit toute anti-
cipation rationnelle et, en particulier, ce minimum de
croyance et d'espérance en l'avenir qu'il faut avoir pour se
révolter, surtout collectivement, contre le présent, même
le plus intolérable.

A ces effets de la précarité sur ceux qu'elle touche directement s'ajoutent les effets sur tous les autres, qu'en apparence elle épargne. Elle ne se laisse jamais oublier ; elle est
présente, à tout moment, dans tous les cerveaux (sauf sans
doute ceux des économistes libéraux, peut-être parce que,
comme le remarquait un de leurs adversaires théoriques,
ils bénéficient de cette sorte de protectionnisme que
représente la *tenure*, position de titulaire qui les arrache à
l'insécurité...). Elle hante les consciences et les incons-
cients. L'existence d'une importante armée de réserve, que
l'on ne trouve plus seulement, du fait de la surproduction
de diplômés, aux niveaux les plus bas de la compétence et
de la qualification technique, contribue à donner à
chaque travailleur le sentiment qu'il n'a rien d'irrempla-
çable et que son travail, son emploi est en quelque sorte
un privilège, et un privilège fragile et menacé (c'est
d'ailleurs ce que lui rappellent, à la première incartade,
ses employeurs et, à la première grève, les journalistes et
commentateurs de toute espèce). L'insécurité objective
fonde une insécurité subjective généralisée qui affecte

aujourd'hui, au coeur d'une économie hautement développée, l'ensemble des travailleurs et même ceux qui ne sont pas ou pas encore directement frappés. Cette sorte de «mentalité collective» (j'emploie cette expression, bien que je ne l'aime pas beaucoup, pour me faire comprendre), commune à toute l'époque, est au principe de la démoralisation et de la démobilisation que l'on peut observer (comme je l'ai fait dans les années 60, en Algérie) dans des pays sous-développés, affligés de taux de non-emploi ou de sous-emploi très élevés et habités en permanence par la hantise du chômage.

Les chômeurs et les travailleurs précaires, parce qu'ils sont atteints dans leur capacité de se projeter dans l'avenir, qui est la condition de toutes les conduites dites rationnelles, à commencer par le calcul économique, ou, dans un tout autre ordre, l'organisation politique, ne sont guère mobilisables. Paradoxalement, comme je l'ai montré dans *Travail et travailleurs en Algérie*[1], mon livre le plus ancien et, peut-être, le plus actuel, pour concevoir un projet révolutionnaire, c'est-à-dire une ambition raisonnée de transformer le présent par référence à un avenir projeté, il faut avoir un minimum de prise sur le présent. Le prolétaire, à la différence du sous-prolétaire, a ce minimum d'assurances présentes, de sécurité, qui est nécessaire pour concevoir l'ambition de changer le présent en fonction de l'avenir escompté. Mais, soit dit en passant, il est aussi quelqu'un qui a encore quelque chose à défendre, quelque chose à perdre, son emploi, même épuisant et mal payé, et nombre de ses conduites, parfois décrites comme trop prudentes, ou même conservatrices, ont pour principe la crainte de tomber plus bas, de redescendre dans le sous-prolétariat.

Lorsque le chômage, comme aujourd'hui dans nombre de pays européens, atteint des taux très élevés et que la

précarité affecte une partie très importante de la population, ouvriers, employés de commerce et d'industrie, mais
aussi journalistes, enseignants, étudiants, le travail devient
une chose rare, désirable à n'importe quel prix, qui met les
travailleurs à la merci des employeurs et ceux-ci, comme
on peut le voir tous les jours, usent et abusent du pouvoir
qui leur est ainsi donné. La concurrence pour le travail se
double d'une concurrence dans le travail, qui est encore
une forme de concurrence pour le travail, qu'il faut garder, parfois à n'importe quel prix, contre le chantage au
débauchage. Cette concurrence, parfois aussi sauvage que
celle que se livrent les entreprises, est au principe d'une
véritable lutte de tous contre tous, destructrice de toutes
les valeurs de solidarité et d'humanité et, parfois, d'une
violence sans phrases. Ceux qui déplorent le cynisme qui
caractérise, selon eux, les hommes et les femmes de notre
temps, ne devraient pas omettre de le rapporter aux
conditions économiques et sociales qui le favorisent ou
l'exigent et qui le récompensent.

Ainsi, la précarité agit directement sur ceux qu'elle
touche (et qu'elle met en fait hors d'état de se mobiliser)
et indirectement sur tous les autres, par la crainte qu'elle
suscite et qu'exploitent méthodiquement les stratégies de
précarisation, comme l'introduction de la fameuse «flexibilité», – dont on aura compris qu'elle s'inspire de raisons
politiques autant qu'économiques. On commence ainsi à
soupçonner que la précarité est le produit non d'une *fatalité économique*, identifiée à la fameuse «mondialisation»,
mais d'une *volonté politique*. L'entreprise «flexible»
exploite en quelque sorte délibérément une situation d'insécurité qu'elle contribue à renforcer : elle cherche à abaisser ses coûts, mais aussi à rendre possible cet abaissement
en mettant le travailleur en danger permanent de perdre
son travail. Tout l'univers de la production, matérielle et

culturelle, publique et privée, est ainsi emporté dans un vaste processus de précarisation, avec par exemple la *déterritorialisation de l'entreprise* : liée jusque là à un État-nation ou à un lieu (Détroit ou Turin pour l'automobile), celle-ci tend de plus en plus à s'en dissocier, avec ce que l'on appelle l'« entreprise réseau » qui s'articule à l'échelle d'un continent ou de la planète entière en connectant des segments de production, des savoirs technologiques, des réseaux de communication, des parcours de formation dispersés entre des lieux très éloignés.

En facilitant ou en organisant la mobilité du capital, et la « délocalisation » vers les pays aux salaires les plus bas, où le coût du travail est plus faible, on a favorisé l'extension de la concurrence entre les travailleurs à l'échelle du monde. L'entreprise nationale (voire nationalisée) dont le territoire de concurrence était lié, plus ou moins stricte-ment, au territoire national, et qui allait conquérir des marchés à l'étranger, à cédé la place à l'entreprise mul-tinationale qui met les travailleurs en concurrence non plus avec leurs seuls compatriotes ou même, comme les démagogues veulent le faire croire, avec les étrangers implantés sur le territoire national, qui, évidemment, sont en fait les premières victimes de la précarisation, mais avec des travailleurs de l'autre bout du monde qui sont contraints d'accepter des salaires de misère.

La précarité s'inscrit dans un *mode de domination* d'un type nouveau, fondé sur l'institution d'un état généralisé et permanent d'insécurité visant à contraindre les tra-vailleurs à la soumission, à l'acceptation de l'exploitation. Pour caractériser ce mode de domination qui, bien que dans ses effets, il ressemble de très près au capitalisme sau-vage des origines, est tout à fait sans précédent, quelqu'un a proposé ici le concept à la fois très pertinent et très expressif de *flexploitation*. Ce mot évoque bien cette gestion rationnelle de l'insécurité, qui, en instaurant, notamment à travers la manipulation concertée de l'espace de production, la concurrence entre les travailleurs des pays aux acquis sociaux les plus importants, aux résistances syndicales les mieux organisées – autant de traits liés à un territoire et une histoire nationaux – et les travailleurs des pays moins avancés socialement, brise les résistances et obtient l'obéissance et la soumission, par des mécanismes en apparence naturels, qui sont ainsi à eux-mêmes leur propre justification. Ces dispositions soumises que produit la précarité sont la condition d'une exploitation de plus en plus « réussie », fondée sur la division entre ceux qui, de plus en plus nombreux, ne travaillent pas et ceux qui, de moins en moins nombreux, travaillent, mais travaillent de plus en plus. Il me semble donc que ce qui est présenté comme un régime économique régi par les lois inflexibles d'une sorte de nature sociale est en réalité un *régime politique* qui ne peut s'instaurer qu'avec la complicité active ou passive des pouvoirs proprement politiques.

Contre ce régime politique, la lutte politique est possible. Elle peut se donner pour fin d'abord, comme l'action caritative ou caritativo-militante, d'encourager les victimes de l'exploitation, tous les précaires actuels et potentiels, à travailler en commun contre les effets destructeurs de la précarité (en les aidant à vivre, à « tenir » et à se tenir, à sauver leur dignité, à résister à la déstructuration, à la dégradation de l'image de soi, à l'aliénation), et surtout à se mobiliser, *à l'échelle internationale*, c'est-à-dire au niveau même où s'exercent les effets de la politique de précarisation, pour combattre cette politique et neutraliser la concurrence qu'elle vise à instaurer entre les travailleurs des différents pays. Mais elle peut aussi tenter d'arracher les travailleurs à la logique des luttes anciennes qui, fondées sur la revendication du travail ou d'une meilleure rémunération du travail, enferment dans le travail et dans l'exploitation (ou la *flexploitation*) qu'il autorise. Cela, par une redistribution du travail (à travers une forte réduction de la durée hebdomadaire du travail à l'échelle de l'Europe), redistribution inséparable d'une redéfinition de la distribution entre le temps de production et le temps de reproduction, le repos et le loisir.

Révolution qui devrait commencer par l'abandon de la vision étroitement calculatrice et individualiste qui réduit les agents à des calculateurs occupés à résoudre des problèmes et des problèmes strictement économiques, au sens le plus étroit du terme. Pour que le système économique fonctionne, il faut que les travailleurs y apportent leurs propres conditions de production et de reproduction mais aussi les conditions du fonctionnement du système économique lui-même, à commencer par leur croyance dans l'entreprise, dans le travail, dans la nécessité du travail, etc. Autant de choses que les économistes orthodoxes excluent a priori de leur comptabilité abstraite et mutilée, laissant tacitement la responsabilité de la production et de la reproduction de toutes les conditions économiques et sociales cachées du fonctionnement de l'économie telle qu'ils la connaissent aux individus ou, paradoxe, à l'État, dont ils prêchent par ailleurs la destruction.

Grenoble, décembre 1997

---

1 - P. Bourdieu, *Travail et travailleurs en Algérie*, Paris-La Haye, Mouton, 1963 (avec A. Darbel, J.-P. Rivet, C. Seibel); *Algérie 60. Structures économiques et structures temporelles*, Paris, Éd. de Minuit, 1977.

Le mouvement des chômeurs,
un miracle social*

Ce mouvement des chômeurs est un événement unique, extraordinaire. Contrairement à ce qu'on nous ressasse à longueur de journaux écrits et parlés, cette *exception française* est quelque chose dont nous pouvons être fiers. Tous les travaux scientifiques ont en effet montré que le chômage détruit ceux qu'il frappe, qu'il anéantit leurs défenses et leurs dispositions subversives. Si cette sorte de fatalité a pu être déjouée, c'est grâce au travail inlassable d'individus et d'associations qui ont encouragé, soutenu, organisé le mouvement. Et je ne puis m'empêcher de trouver extraordinaire que des responsables politiques de gauche et des syndicalistes dénoncent la manipulation (retrouvant le discours patronal des origines contre les syndicats naissants) là où ils devraient reconnaître les vertus du travail militant sans qui, on le sait bien, il n'y aurait jamais rien eu qui ressemble à un mouvement social. Pour ma part, je tiens à dire mon admiration et ma gratitude – d'autant plus totales que leur entreprise m'est apparue souvent comme désespérée – pour tous ceux qui, dans les syndicats et les associations rassemblées au sein des États généraux pour le mouvement social, ont rendu possible ce qui constitue bien un *miracle social* dont on ne finira pas de si tôt de découvrir les vertus et les bienfaits.

La première conquête de ce mouvement est le mouvement lui-même, son existence même : il arrache les chômeurs et, avec eux, tous les travailleurs précaires, dont le

---

* Intervention du 17 janvier 1998, lors de l'occupation de l'École normale supérieure par les chômeurs.

nombre s'accroît chaque jour, à l'invisibilité, à l'isolement, au silence, bref à l'inexistence. En réapparaissant au grand jour, les chômeurs ramènent à l'existence et à une certaine fierté tous les hommes et les femmes que, comme eux, le non-emploi renvoie d'ordinaire à l'oubli et à la honte. Mais ils rappellent surtout qu'un des fondements de l'ordre économique et social est le chômage de masse et la menace qu'il fait peser sur tous ceux qui disposent encore d'un travail. Loin d'être enfermés dans un mouvement égoïste, ils disent que, même s'il y a sans doute chômeur et chômeur, les différences entre les RMIstes, les chômeurs en fin de droit ou en allocation spécifique de solidarité ne sont pas radicalement différentes de celles qui séparent les chômeurs de tous les travailleurs précaires. Réalité fondamentale que l'on risque d'oublier et de faire oublier, en mettant l'accent exclusivement sur des revendications «catégorielles» (si l'on peut dire!) des chômeurs, propres à les séparer des travailleurs, et en particulier des plus précaires d'entre eux, qui peuvent se sentir oubliés.

De plus, le chômage et le chômeur hantent le travail et le travailleur. Temporaires, vacataires, supplétifs, intermittents, détenteurs de contrats à durée déterminée, intérimaires de l'industrie, du commerce, de l'éducation, du théâtre ou du cinéma, même si d'immenses différences peuvent les séparer des chômeurs et aussi entre eux, vivent dans la peur du chômage et, bien souvent, sous la menace du chantage qu'il permet d'exercer sur eux. La précarité rend possibles de nouvelles stratégies de domination et d'exploitation, fondées sur le chantage au licenciement, qui s'exerce aujourd'hui sur toute la hiérarchie, dans les entreprises privées et même publiques, et qui fait peser sur l'ensemble du monde du travail, et tout spécialement dans les entreprises de production culturelle, une censure écrasante, interdisant la mobilisation et la revendication.

La dégradation généralisée des conditions de travail est rendue possible ou même favorisée par le chômage et c'est parce qu'ils le savent confusément que tant de Français se sentent et se disent solidaires d'une lutte comme celle des chômeurs. C'est pourquoi on peut dire, sans jouer avec les mots, que la mobilisation de ceux dont l'existence constitue sans doute le facteur principal de la démobilisation est le plus extraordinaire encouragement à la mobilisation, à la rupture avec le fatalisme politique.

Le mouvement des chômeurs français constitue aussi un appel à tous les chômeurs et travailleurs précaires de toute l'Europe : une idée subversive nouvelle est apparue, et elle peut devenir un instrument de lutte dont chaque mouvement national peut s'emparer. Les chômeurs rappellent à tous les travailleurs qu'ils ont partie liée avec les chômeurs ; que les chômeurs dont l'existence pèse tant sur eux et sur leurs conditions de travail sont le produit d'une politique ; qu'une mobilisation capable de surmonter les frontières qui séparent, au sein de chaque pays, les travailleurs et les non travailleurs et d'autre part celles qui séparent l'ensemble des travailleurs et des non travailleurs d'un même pays des travailleurs et non travailleurs des autres pays pourrait contrecarrer la politique qui fait que les non travailleurs peuvent condamner au silence et à la résignation ceux qui ont le «privilège» incertain d'avoir un travail plus ou moins précaire.

Paris, janvier 1998

L'intellectuel négatif*

Tous ceux qui ont été là, jour après jour, pendant des années, pour recevoir les réfugiés algériens, les écouter, les aider à rédiger des curriculum vitae et à faire des démarches dans les ministères, les accompagner dans les tribunaux, écrire des lettres aux instances administratives, aller en délégation auprès des autorités responsables, solliciter des visas, des autorisations, des permis de séjour, qui se sont mobilisés, dès juin 1993, dès les premiers assassinats, non seulement pour apporter secours et protection autant que c'était possible, mais pour essayer de s'informer et d'informer, de comprendre et de faire comprendre une réalité complexe, et qui se sont battus, inlassablement, par des interventions publiques, des conférences de presse, des articles dans les journaux, pour arracher la crise algérienne aux visions unilatérales, tous ces intellectuels de tous les pays qui se sont unis pour combattre l'indifférence ou la xénophobie, pour rappeler au respect de la complexité du monde en dénouant les confusions, délibérément entretenues par certains, ont soudain découvert que tous leurs efforts pouvaient être détruits, anéantis, en deux temps, trois mouvements.

Deux articles écrits au terme d'un voyage sous escorte, programmé, balisé, surveillé par les autorités ou l'armée algériennes, qui seront publiés dans le plus grand quotidien français, quoique bourrés de platitudes et d'erreurs et tout entiers orientés vers une conclusion simpliste, bien faite pour donner satisfaction à l'apitoiement superficiel et à la haine raciste, maquillée en indignation humaniste.

---

* Ce texte, écrit en janvier 1998, est resté inédit.

Un meeting unanimiste regroupant tout le gratin de l'intelligentsia médiatique et des hommes politiques allant du libéral intégriste à l'écologiste opportuniste en passant par la passionaria des «éradicateurs». Une émission de télévision parfaitement unilatérale sous des apparences de neutralité. Et le tour est joué. Le compteur est remis à zéro. L'intellectuel négatif a rempli sa mission : qui voudra se dire solidaire des égorgeurs, des violeurs et des assassins, — surtout quand il s'agit de gens que l'on désigne, sans autre attendu historique, comme des «fous de l'islam», enveloppés sous le nom honni d'islamisme, condensé de tous les fanatismes orientaux, bien fait pour donner au mépris raciste l'alibi indiscutable de la légitimité éthique et laïque?

Pour poser le problème en des termes aussi caricaturaux, il n'est pas besoin d'être un grand intellectuel. C'est pourtant ce qui vaut au responsable de cette opération de basse police symbolique, antithèse absolue de tout ce qui définit l'intellectuel, la liberté à l'égard des pouvoirs, la critique des idées reçues, la démolition des alternatives simplistes, la restitution de la complexité des problèmes, d'être consacré par les journalistes comme intellectuel de plein exercice.

Et pourtant, je connais toutes sortes de gens qui, bien qu'ils sachent parfaitement tout cela, pour s'être heurtés cent fois à ces forces, recommenceront, chacun dans son ordre et avec ses moyens, à entreprendre des actions toujours menacées d'être détruites par un compte rendu distrait, léger ou malveillant ou d'être récupérées, en cas de réussite, par des opportunistes et des convertis de la onzième heure, qui s'obstineront à écrire des mises au point, des réfutations ou des démentis voués à être recouverts sous le flot ininterrompu du bavardage médiatique, convaincus que, comme l'a montré le mouvement des chômeurs, aboutissement d'un travail obscur et si déses-péré parfois qu'il apparaissait comme une sorte d'art pour l'art de la politique, on peut, à la longue du temps, faire avancer un peu, et sans retour, le rocher de Sisyphe.

Parce que, pendant ce temps, des « responsables » poli-tiques habiles à neutraliser les mouvements sociaux qui ont contribué à les porter au pouvoir, continuent à laisser des milliers de « sans papiers » dans l'attente ou à les expul-ser sans ménagements vers le pays qu'ils ont fui, et qui peut être l'Algérie.

Paris, janvier 1998

Le néo-libéralisme, utopie
(en voie de réalisation)
d'une exploitation sans limites

Le monde économique est-il vraiment, comme le veut le discours dominant, un ordre pur et parfait, déroulant implacablement la logique de ses conséquences prévisibles et prompt à réprimer tous les manquements par les sanctions qu'il inflige soit de manière automatique, soit, plus exceptionnellement, par l'intermédiaire de son bras armé, le FMI ou l'OCDE, et des politiques drastiques qu'ils imposent, baisse du coût de la main-d'oeuvre, réduction des dépenses publiques et flexibilisation du travail ? Et s'il n'était en réalité que la mise en pratique d'une utopie, le néo-libéralisme, ainsi convertie en *programme politique*, mais une utopie qui, avec l'aide de la théorie économique dont elle se réclame, parvient à se penser comme la description scientifique du réel ?

Cette théorie tutélaire est une pure fiction mathématique, fondée, dès l'origine, sur une formidable abstraction (qui ne se réduit pas, comme veulent le croire les économistes qui défendent le droit à l'abstraction inévitable, à l'effet, constitutif de tout projet scientifique, de la construction d'objet comme appréhension délibérément sélective du réel) : celle qui, au nom d'une conception aussi étroite que stricte de la rationalité identifiée à la rationalité individuelle, consiste à mettre entre parenthèses les conditions économiques et sociales des dispositions rationnelles (et en particulier de la disposition calculatrice appliquée aux choses économiques qui est au fondement de la vision néo-libérale) et des structures éco-

nomiques et sociales qui sont la condition de leur exercice, ou, plus précisément, de la production et de la reproduction de ces dispositions et de ces structures. Il suffit de
penser, pour donner la mesure de l'omission, au seul système d'enseignement, qui n'est jamais pris en compte *en
tant que tel* en un temps où il joue un rôle déterminant
tant dans la production des biens et des services que dans
la production des producteurs. De cette sorte de faute ori-
ginelle, inscrite dans le mythe walrasien de la «théorie
pure», découlent tous les manques et tous les manquements de la discipline économique, et l'obstination fatale
avec laquelle elle s'accroche à l'opposition arbitraire qu'elle
fait exister par sa seule existence, entre la logique proprement économique, fondée sur la concurrence et porteuse
d'efficacité, et la logique sociale, soumise à la règle de
l'équité.

Cela dit, cette «théorie» originairement désocialisée et
déshistoricisée a, aujourd'hui plus que jamais les moyens
de *se rendre vraie*, empiriquement vérifiable. En effet, le
discours néo-libéral n'est pas un discours comme les
autres. A la manière du discours psychiatrique dans l'asi-
le, selon Erving Goffman, c'est un «discours fort», qui
n'est si fort et si difficile à combattre que parce qu'il a
pour lui toutes les forces d'un monde de rapports de force
qu'il contribue à faire tel qu'il est, notamment en orien-
tant les choix économiques de ceux qui dominent les rapports économiques et en ajoutant ainsi sa force propre,
proprement symbolique, à ces rapports de force[1]. Au
nom de ce programme scientifique de connaissance
converti en programme politique d'action, s'accomplit
un immense *travail politique* (dénié, puisqu'en apparence
purement négatif) qui vise à créer les conditions de réalisation et de fonctionnement de la «théorie»; un *programme de destruction méthodique des collectifs* (l'économie

néo-classique ne voulant connaître que des individus, qu'il s'agisse d'entreprises, de syndicats ou de familles).

Le mouvement, rendu possible par la politique de déréglementation financière, vers l'utopie néo-libérale d'un marché pur et parfait, s'accomplit à travers l'action transformatrice et, il faut bien le dire, *destructrice*, de toutes les mesures politiques (dont la plus récente est l'AMI, Accord multilatéral sur l'investissement, destiné à protéger contre les États nationaux les entreprises étrangères et leurs investissements) visant à *mettre en question toutes les structures collectives* capables de faire obstacle à la logique du marché pur : *nation*, dont la marge de manoeuvre ne cesse de décroître ; *groupes de travail*, avec par exemple l'individualisation des salaires et des carrières en fonction des compétences individuelles et l'atomisation des travailleurs qui en résulte ; *collectifs de défense* des droits des travailleurs, syndicats, associations, coopératives ; *famille* même, qui, à travers la constitution de marchés par classes d'âge perd une part de son contrôle sur la consommation. Tirant sa force sociale de la force politico-économique de ceux dont il exprime les intérêts, actionnaires, opérateurs financiers, industriels, hommes politiques conservateurs ou sociodémocrates convertis aux démissions rassurantes du laisser-faire, hauts fonctionnaires des finances, d'autant plus acharnés à imposer une politique prônant leur propre dépérissement que, à la différence des cadres des entreprises, ils ne courent aucun risque d'en payer éventuellement les conséquences, le programme néo-libéral tend globalement à favoriser la coupure entre l'économie et les réalités sociales, et à construire ainsi, dans la réalité, un système économique conforme à la description théorique, c'est-à-dire une sorte de machine logique, qui se présente comme une chaîne de contraintes entraînant les agents économiques.

La mondialisation des marchés financiers, jointe au progrès des techniques d'information, assure une mobilité sans précédent des capitaux et donne aux investisseurs (ou actionnaires) soucieux de leurs intérêts immédiats, c'est-à-dire de la rentabilité à court terme de leurs investissements, la possibilité de comparer à tout moment la rentabilité des plus grandes entreprises et de sanctionner en conséquence les échecs relatifs. Les entreprises elles-mêmes, placées sous une telle menace permanente, doivent s'ajuster de manière de plus en plus rapide aux exigences des marchés; cela sous peine de «perdre, comme on dit, la confiance des marchés», et du même coup le soutien des actionnaires qui, soucieux d'obtenir une rentabilité à court terme, sont de plus en plus capables d'imposer leur volonté aux *managers*, de leur fixer des normes, à travers les directions financières, et d'orienter leurs politiques en matière d'embauche, d'emploi et de salaire. Ainsi s'instaure le règne absolu de la flexibilité, avec les recrutements sous contrats à durée déterminée ou les intérims et les «plans sociaux» à répétition, et l'instauration, au sein même de l'entreprise, de la concurrence entre filiales autonomes, entre équipes, contraintes à la polyvalence, et, enfin, entre individus, à travers l'*individualisation* de la relation salariale : fixation d'objectifs individuels; instauration d'entretiens individuels d'évaluation; hausses individualisées des salaires ou octroi de primes en fonction de la compétence et du mérite individuels; carrières individualisées; stratégies de «responsabilisation» tendant à assurer l'auto-exploitation de certains cadres qui, simples salariés sous forte dépendance hiérarchique, sont en même temps tenus pour responsables de leurs ventes, de leurs produits, de leur succursale, de leur magasin, etc., à la façon d'«indépendants»; exigence de l'«auto-contrôle» qui étend l'«implication» des salariés, selon les techniques du «management participatif», bien au-delà des emplois de cadres;

autant de techniques d'assujettissement rationnel qui, tout en imposant le surinvestissement dans le travail, et pas seulement dans les postes de responsabilité, et le travail dans l'urgence, concourent à affaiblir ou à abolir les repères et les solidarités collectives[2].

L'institution pratique d'un monde darwinien qui trouve les ressorts de l'adhésion à la tâche et à l'entreprise dans l'insécurité, la souffrance et le *stress*[3], ne pourrait sans doute pas réussir aussi complètement si elle ne trouvait la complicité des *habitus précarisés* que produit l'insécurité et l'existence, à tous les niveaux de la hiérarchie, et même aux plus élevés, parmi les cadres notamment, d'une *armée de réserve de main-d'œuvre docilisée par la précarisation* et par la menace permanente du chômage. Le fondement ultime de tout cet ordre économique placé sous l'invocation de la liberté des individus est en effet la *violence structurale* du chômage, de la précarité et de la *peur* qu'inspire la menace du licenciement : la condition du fonctionnement «harmonieux» du modèle micro-économique individualiste et le principe de la «motivation» individuelle au travail résident en dernière analyse dans un phénomène de masse, l'existence de l'armée de réserve des chômeurs. Armée qui, d'ailleurs, n'en est pas une, puisque le chômage isole, atomise, individualise, démobilise, désolidarise.

Cette violence structurale pèse aussi sur ce que l'on appelle le contrat de travail (savamment rationalisé et déréalisé par la «théorie des contrats»). Le discours d'entreprise n'a jamais autant parlé de confiance, de coopération, de loyauté et de culture d'entreprise qu'à une époque où l'on obtient l'adhésion de chaque instant en faisant disparaître toutes les garanties temporelles (les trois-quarts des embauches sont à durée déterminée, la part des emplois précaires ne cesse de croître, le licenciement individuel tend à n'être plus soumis à aucune restriction). Adhésion qui, d'ailleurs, ne peut être qu'incertaine et ambiguë, parce que la précarité, la peur du licenciement, le *downsizing* peuvent, comme le chômage, engendrer l'angoisse, la démoralisation ou le conformisme (autant de tares que la littérature gestionnaire constate et déplore). Dans ce monde sans inertie, sans principe immanent de continuité, les dominés sont dans la position des créatures dans un univers cartésien : ils sont suspendus à la décision arbitraire d'un pouvoir responsable de la « création continuée » de leur existence – comme l'atteste et le rappelle la menace de la fermeture d'usine, du désinvestissement et de la délocalisation.

Le sentiment profond d'insécurité et d'incertitude sur l'avenir et sur soi-même qui frappe tous les travailleurs ainsi précarisés doit sa coloration particulière au fait que le principe de la division entre ceux qui sont rejetés dans l'armée de réserve et ceux qui sont au travail semble résider dans *la compétence scolairement garantie*, qui est aussi au principe des divisions, au sein de l'entreprise « technicisée », entre les cadres ou les « techniciens », et les simples ouvriers ou les OS, nouveaux parias de l'ordre industriel. La généralisation de l'électronique, de l'informatique et des exigences de qualité, qui oblige tous les salariés à de nouveaux apprentissages et perpétue dans l'entreprise l'équivalent des épreuves de l'école, tend à redoubler le sentiment de l'insécurité par un sentiment, savamment entretenu par la hiérarchie, *d'indignité*. L'ordre professionnel et, de proche en proche, tout l'ordre social, paraît fondé sur un ordre des « compétences » ou, pire, des « intelligences ». Plus peut-être que les manipulations techniciennes des rapports de travail et les stratégies spécialement aménagées en vue d'obtenir la soumission et l'obéissance qui font l'objet d'une attention incessante et d'une réinvention permanente, plus que l'énorme investissement en personnel, en temps, en recherche et en travail que suppose l'invention continue de nouvelles formes de gestion de la main-d'oeuvre et de nouvelles techniques de commandement, c'est la croyance dans la hiérarchie des compétences scolairement garanties qui fonde l'ordre et la discipline dans l'entreprise privée et aussi, de plus en plus, dans la fonction publique : obligés de se penser par rapport à la grande noblesse d'école, vouée aux tâches de commandement, et à la petite noblesse des employés et des techniciens cantonnés dans les tâches d'exécution et toujours en sursis, parce que toujours obligés de *faire leurs preuves,* les travailleurs condamnés à la précarité et à l'insécurité d'un emploi sans cesse suspendu et menacés de relégation dans l'indignité du chômage ne peuvent concevoir qu'une image désenchantée et d'eux-mêmes en tant qu'individus, et de leur groupe; autrefois objet de fierté, enraciné dans des traditions et fort de tout un héritage technique et politique, le groupe ouvrier, si tant est qu'il existe encore en tant que tel, est voué à la démoralisation, à la dévalorisation et à la désillusion politique, qui s'exprime dans la crise du militantisme ou, pire, dans le ralliement désespéré aux thèses de l'extrémisme fascistoïde.

On voit ainsi comment l'utopie néo-libérale tend à s'incarner dans la réalité d'une sorte de machine infernale, dont la nécessité s'impose aux dominants eux-mêmes – parfois traversés, comme George Soros, et tel ou tel président de fonds de pension, par l'inquiétude des effets destructeurs de l'empire qu'ils exercent et portés à des actions compensatoires inspirées de la logique même qu'elles veulent neutraliser, comme les générosités à la Bill Gates. Comme le marxisme en d'autres temps, avec lequel, sous ce rapport, elle a beaucoup de points communs, cette utopie suscite une formidable croyance, la *Free trade faith,* non seulement chez ceux qui en vivent matériellement comme les financiers, les patrons de grandes entreprises, etc., mais aussi ceux qui en tirent leurs justifications d'exister, comme les hauts fonctionnaires et les politiciens qui sacralisent le pouvoir des marchés au nom de l'efficacité économique, qui exigent la levée des barrières administratives ou politiques capables de gêner les détenteurs de capitaux dans la recherche purement individuelle de la maximisation du profit individuel instituée en modèle de rationalité, qui veulent des banques centrales indépendantes, qui prêchent la subordination des États nationaux aux exigences de la liberté économique pour les maîtres de l'économie, avec la suppression de toutes les réglementations sur tous les marchés, à commencer par le marché du travail, l'interdiction des déficits et de l'inflation, la privatisation généralisée des services publics, la réduction des dépenses publiques et sociales.

Sans partager nécessairement les intérêts économiques et sociaux des vrais croyants, les économistes ont assez d'intérêts spécifiques dans le champ de la science économique pour apporter une contribution décisive, quels que soient leurs états d'âme à propos des effets économiques et sociaux de l'utopie qu'ils habillent de raison mathématique, à la production et à la reproduction de la croyance dans l'utopie néo-libérale. Séparés par toute leur existence et surtout toute leur formation intellectuelle, le plus souvent purement abstraite, livresque et théoriciste, du monde économique et social tel qu'il est, ils sont, comme d'autres en d'autres temps dans le domaine de la philosophie, particulièrement inclinés à confondre les choses de la logique avec la logique des choses. Confiants dans des modèles qu'ils n'ont pratiquement jamais l'occasion de soumettre à l'épreuve de la vérification expérimentale, portés à regarder de haut les acquis des autres sciences historiques, dans lesquels ils ne reconnaissent pas la pureté et la transparence cristalline de leurs jeux mathématiques et dont ils sont le plus souvent incapables de comprendre la vraie nécessité et la profonde complexité, ils participent et collaborent à un formidable changement économique et social qui, même si certaines de ses conséquences leur font horreur (ils peuvent cotiser au parti socialiste et donner des conseils avisés à ses représentants dans les instances de pouvoir), ne peut pas leur déplaire complètement puisque, au péril de quelques ratés, imputables notamment à ce qu'ils appellent des «bulles spéculatives», il tend à donner réalité à l'utopie ultra-conséquente (comme certaines formes de folie) à laquelle ils consacrent leur vie.

Et pourtant, le monde est là, avec les effets immédiatement visibles de la mise en oeuvre de la grande utopie néolibérale : non seulement la misère et la souffrance d'une fraction de plus en plus grande des sociétés les plus avancées économiquement, l'accroissement extraordinaire des différences entre les revenus, la disparition progressive des univers autonomes de production culturelle, cinéma, édition, etc., donc, à terme, des produits culturels eux-mêmes, du fait de l'intrusion croissante des considérations commerciales, mais aussi et surtout la destruction de toutes les instances collectives capables de contrecarrer les effets de la machine infernale, au premier rang desquelles l'État, dépositaire de toutes les valeurs universelles associées à l'idée de *public*, et l'imposition, partout, dans les hautes sphères de l'économie et de l'État, ou au sein des entreprises, de cette sorte de darwinisme moral qui, avec le culte du *winner*, formé aux mathématiques supérieures et au saut à l'élastique, instaure la lutte de tous contre tous et le *cynisme* en normes de toutes les pratiques. Et le nouvel ordre moral, fondé sur le renversement de toutes les tables des valeurs, s'affirme dans le spectacle, complaisamment diffusé par les médias, de tous ces hauts représentants de l'État qui abaissent leur dignité statutaire à multiplier les courbettes devant les patrons de multinationales, Daewoo

ou Toyota, ou à rivaliser de sourires et de signes d'intelligence devant un Bill Gates.

Peut-on attendre que la masse extraordinaire de souffrance que produit un tel régime politico-économique soit
un jour au principe d'un mouvement capable d'arrêter la
course à l'abîme? En fait, on est ici devant un extraordinaire paradoxe : alors que les obstacles rencontrés sur la
voie de la réalisation de l'ordre nouveau, celui de l'individu
seul, mais libre, sont aujourd'hui tenus pour imputables à
des rigidités et des archaïsmes, et que toute intervention
directe et consciente, du moins lorsqu'elle vient de l'État,
par quelque biais que ce soit, est d'avance discréditée, sous
prétexte qu'elle est inspirée par des fonctionnaires obéissant
à leurs propres intérêts et connaissant mal les intérêts des
agents économiques, donc sommée de s'effacer au profit
d'un mécanisme pur et anonyme, le marché (dont on
oublie qu'il est aussi le lieu d'exercice d'intérêts), c'est en
réalité la permanence ou la survivance des institutions et
des agents de l'ordre ancien en voie de démantèlement, et
tout le travail de toutes les catégories de travailleurs
sociaux, et aussi toutes les solidarités sociales, familiales ou
autres, qui font que l'ordre social ne s'effondre pas dans le
chaos malgré le volume croissant de la population précari-
sée. La transition vers le «libéralisme» s'accomplit de
manière insensible, donc imperceptible, comme la dérive
des continents, cachant ainsi aux regards ses effets, à long
terme, les plus terribles. Effets qui se trouvent aussi dissi-
mulés, paradoxalement, par les résistances qu'il suscite, dès
maintenant, de la part de ceux qui défendent l'ordre ancien
en puisant dans les ressources qu'il recelait, dans les
modèles juridiques ou pratiques d'assistance et de solidarité qu'il proposait, dans les habitus qu'il favorisait (chez les
infirmières, les assistances sociales, etc.), bref dans les
réserves de capital social qui protègent toute une partie de

l'ordre social présent de la chute dans l'anomie. (Capital qui, s'il n'est pas renouvelé, reproduit, est voué au dépérissement, mais dont l'épuisement n'est pas pour demain).

Mais ces mêmes forces de «conservation», qu'il est trop facile de traiter comme des forces conservatrices, sont aussi, sous un autre rapport, des forces de *résistance* à l'instauration de l'ordre nouveau, qui peuvent devenir des forces subversives, – à condition notamment que l'on sache mener la lutte proprement symbolique contre le travail incessant des «penseurs» néo-libéraux pour discréditer et disqualifier l'héritage de mots, de traditions et de représentations associés aux conquêtes historiques des mouvements sociaux du passé et du présent; à condition aussi que l'on sache défendre les institutions correspondantes, droit du travail, assistance sociale, sécurité sociale, etc. contre la volonté de les renvoyer à l'archaïsme d'un passé dépassé ou, pire, de les constituer, contre toute vraisemblance, en privilèges inutiles ou inacceptables. Ce combat n'est pas facile et il n'est pas rare qu'on soit contraint de le mener à fronts renversés. S'inspirant d'une intention paradoxale de *subversion orientée vers la conservation ou la restauration*, les révolutionnaires conservateurs ont beau jeu de transformer en résistances réactionnaires les réactions de défense suscitées par des actions conservatrices qu'ils décrivent comme révolutionnaires; et de condamner comme défense archaïque et rétrograde de «privilèges» des revendications ou des révoltes qui s'enracinent dans l'invocation des droits acquis, c'est-à-dire dans un passé menacé de dégradation ou de destruction par leurs mesures régressives – dont les plus exemplaires sont le licenciement des syndicalistes ou, plus radicalement, des anciens, conservateurs des traditions du groupe.

Et si l'on peut donc conserver quelque espérance raisonnable, c'est qu'il existe encore, dans les institutions étatiques et aussi dans les dispositions des agents (notamment les plus attachés à ces institutions, comme la petite noblesse d'État), des forces qui, sous apparence de défendre simplement, comme on le leur reprochera aussitôt, un ordre disparu, et les «privilèges» correspondants, doivent en fait, pour résister à l'épreuve, travailler à inventer et à construire un ordre social qui n'aurait pas pour seule loi la recherche de l'intérêt égoïste et la passion individuelle du profit, et qui ferait place à des collectifs orientés vers la *poursuite rationnelle de fins collectivement élaborées et approuvées*. Parmi ces collectifs, associations, syndicats, partis, comment ne pas faire une place spéciale à l'État, État national ou, mieux encore, supranational, c'est-à-dire européen (étape vers un État mondial), capable de contrôler et d'imposer efficacement les profits réalisés sur les marchés financiers ; capable aussi et surtout de contrecarrer l'action destructrice que ces derniers exercent sur le marché du travail en organisant, avec l'aide des syndicats, l'élaboration et la défense de l'*intérêt public* qui, qu'on le veuille ou non, ne sortira jamais, même au prix de quelque faux en écriture mathématique, de la vision de comptable (en un autre temps on aurait dit d'«épicier») que la nouvelle croyance présente comme la forme suprême de l'accomplissement humain.

Paris, janvier 1998

---

1 - E. Goffman, *Asiles. Études sur la condition sociale des malades mentaux*, Paris, Éd. de Minuit, 1968.

2 - On pourra se reporter, sur tout cela, aux deux numéros de *Actes de la recherche en sciences sociales* consacrés aux «Nouvelles formes de domination dans le travail» (1 et 2), 114, septembre 1996 et 115, décembre 1996 et tout spécialement à l'introduction de Gabrielle Balazs et Michel Pialoux, «Crise du travail et crise du politique», 114, pp.3-4.

3 - C. Dejours, *Souffrance en France. La banalisation de l'injustice sociale*, Paris, Éd. du Seuil, 1997.

RÉFÉRENCES CITÉES

ACCARDO (Alain), avec G. ABOU, G. BALASTRE, D. MARINE, *Journalistes au quotidien. Outils pour une socioanalyse des pratiques journalistiques*, Bordeaux, Le Mascaret, 1995.

Actes de la recherche en sciences sociales, « L'économie de la maison », 81-82, mars 1990.
– « La souffrance », 90, décembre 1991.
– « Esprits d'État », 96-97, mars 1993.
– « Les nouvelles formes de domination dans le travail », 114 et 115, septembre et décembre 1996.
– « Histoire de l'État », 116-117, mars 1997.
– « Les ruses de la raison impérialiste », 121-122, mars 1998.

BLOCH (Ernst), *L'Esprit de l'utopie*, Paris, Gallimard, 1977.

BOSCHETTI (Anna), *Sartre et* les Temps modernes *: une entreprise intellectuelle*, Paris, Éditions de Minuit, 1985.

BOURDIEU (Pierre), *Travail et travailleurs en Algérie*, Paris-La Haye, Mouton, 1963 (avec A. Darbel, J.P. Rivet, C. Seibel).
– *Algérie 60, structures économiques et structures temporelles*, Paris, Éditions de Minuit, 1977.
– *La Noblesse d'État*, Paris, Éditions de Minuit, 1989.
– « Le racisme de l'intelligence », in *Questions de sociologie*, Paris, Éditions de Minuit, 1980.
– « Deux impérialismes de l'universel », *in* C. Fauré et T. Bishop (éds), *L'Amérique des Français*, Paris, Éditions François Bourin, 1992, pp.149-155.

CHAMPAGNE (Patrick), *Faire l'opinion*, Paris, Éditions de Minuit, 1990.

– « Le journalisme entre précarité et concurrence », *Liber*, 29, décembre 1996.

CHARLE (Christophe), *Naissance des intellectuels*, Paris, Éditions de Minuit, 1990.

DIXON (Keith), « Les évangélistes du Marché », *Liber*, 32, septembre 1997, pp.5-6.

DEJOURS (Christophe), *Souffrance en France. La banalisation de l'injustice sociale*, Paris, Éditions du Seuil, 1997.

DEZALAY (Yves), avec D. SUGARMAN, *Professional Competition Power. Lawyers, Accountants and the Social Construction of Markets*, Londres-New York, Routledge, 1995, pp. XI-XIII.

– avec B.G. GARTH, *Dealing in Virtue*, Chicago-Londres, The University of Chicago Press, 1995, pp.VII-VIII.

FALLOWS (James), *Breaking the News. How Media Undermine American Democracy*, New York, Vintage Books, 1997.

GOFFMAN (Erving), *Asiles, études sur la condition sociale des malades mentaux*, Paris, Éditions de Minuit, 1968.

GRÉMION (Pierre), *Preuves, une revue européenne à Paris*, Paris, Julliard, 1989.

– *Intelligence de l'anti-communisme, le congrès pour la liberté de la culture à Paris*, Paris, Fayard, 1995.

HALIMI (Serge), *Les Nouveaux chiens de garde*, Paris, Liber-Raisons d'agir, 1997.

Liber, « Mouvements divers. Le choix de la subversion », 33, décembre 1997.

SALESSE (Yves), *Propositions pour une autre Europe. Construire Babel*, Éditions du Félin, 1997.

THÉRET (Bruno), *L'État, la finance et le social*, Paris, La Découverte, 1995.

VIDAL-NAQUET (Pierre), *Les Juifs, la mémoire et le présent*, Paris, La Découverte, tome I, 1981, tome II, 1991.

WACQUANT (Loïc), « De l'État charitable à l'État pénal : notes sur le traitement politique de la misère en Amérique », *Regards sociologiques*, 11, 1996.

TABLE DES MATIÈRES

Achevé d'imprimer sur rotative
par l'Imprimerie Darantiere à Dijon-Quetigny
en avril 1998

Dépôt légal : 1er trimestre 1998
N° d'impression : 98-0538